ミネルヴァ日本評伝選

書を読みて未だ倦まず

林羅山

鈴木健一 著

ミネルヴァ書房

刊行の趣意

「学問は歴史に極まり候ことに候」とは、先哲荻生徂徠のことばである。

歴史のなかにこそ人間の智恵は宿されている。人間の愚かさもそこにはあらわだ。この歴史を探り、歴史に学んでこそ、人間はようやくみずからの正体を知り、いくらかは賢くなることができる。新しい勇気を得て未来に向かうことができる。徂徠はそう言いたかったのだろう。

「ミネルヴァ日本評伝選」は、私たちの直接の先人について、この人間知を学びなおそうという試みである。日本列島の過去に生きた人々の言行を、深く、くわしく探って、そこに現代への批判を聴きとろうとする試みである。日本人ばかりではない。列島の歴史にかかわった多くの異国の人々の声にも耳を傾けよう。

先人たちの書き残した文章をそのひだにまで立ち入って読み、彼らの旅した跡をたどりなおし、彼らのなしとげた事業を広い文脈のなかで注意深く観察しなおす――そのとき、はじめて先人たちはいまの私たちのかたわらによみがえってくる。彼らのなまの声で歴史の智恵を、また人間であることのよろこびと苦しみを、私たちに伝えてくれもするだろう。

この「評伝選」のつらなりのなかから、列島の歴史はおのずからその複雑さと奥ゆきの深さをもって浮かび上がってくるはずだ。これを読むとき、私たちのなかに新たな自信と勇気が湧いてきて、その矜持と勇気をもって「グローバリゼーション」の世紀に立ち向かってゆくことができる――そのような「ミネルヴァ日本評伝選」にしたいと、私たちは願っている。

平成十五年（二〇〇三）九月

上横手雅敬
芳賀　徹

林羅山像

湯島聖堂 杏壇門

湯島聖堂 大成殿

林羅山——書を読みて未だ倦まず　目次

図版一覧

林羅山の人生		日本史	世界史
	1歳・1583		
		1587　聚楽第完成	
			1588　スペインの無敵艦隊，イギリス海軍に敗れる
1595〜97　建仁寺での日々		1597　慶長の役	
		1598　豊臣秀吉没	
1600　朱子学開眼		1600　関ヶ原の戦い	1600　イギリスにおいて東インド会社設立
1603　『論語集注』の公開講義		1603　徳川家康，征夷大将軍となる	
1604　藤原惺窩に出会う			
1605　徳川家康に拝謁する			
1606　ハビアンとの論争			
	25歳・1607		
1614　方広寺鐘銘事件	家康に仕える		
		1615　大坂夏の陣	
1616　駿河文庫の書籍処分	34歳・1616	1616　徳川家康没	1616　ヌルハチ，後金建国
1616　『丙辰紀行』			
			1618〜48　三十年戦争
	秀忠の時代	1619　藤原惺窩没	
1621　『野槌』			
1624　家光の御伽衆となる	42歳・1624		
1629　民部卿法印となる		1629　紫衣事件	
1632　先聖殿の建設			
			1636　後金を清と改称
	家光の時代	1637〜38　島原の乱	
		1639　ポルトガル人来航禁止	
			1642〜60　イギリス，ピューリタン革命
1643　『寛永諸家系図伝』			
1643　『癸未紀行』			1643　フランス，ルイ14世即位
			1644　明，滅亡
	69歳・1651	1651　徳川家光没	
	家綱の時代	1651　由井正雪の乱	
1656　妻亀没			
		1657　明暦の大火	
	75歳・1657		

林羅山の生涯と日本史，世界史との対照年表

序章　すぐれた業績　低い評価

今日における低い評価

林羅山というと、方広寺鐘銘事件で徳川家康に諂《へつら》った見解を述べたり、封建制度を保障する身分意識を儒教によって裏付けたりするというような、御用学者としての一面ばかりが取り上げられがちで、今日でははなはだ評判が悪いようだ。

たとえば、小林秀雄の有名な評論「学問」（文藝春秋、一九六一年六月。『考へるヒント』に収録）には、次のようにある。

総じて、外的な政治力は、思想伝統の生き死にを、本質的に左右する力は持たぬものだ。足利初期に成熟した学問的雰囲気が瓦壊し去って、何も彼も新しく始めなければならなくなった時、学者は、僧服を官服に脱ぎ代えたのだが、学問の制度の一変が、学問に新しい命を吹き込むわけにはいかなかった。家康も羅山も、学問の新しい利用法を思案したので、学問の志を新たにしたわけではない。

『先哲像伝』林羅山

そう林羅山を批判しておいて、逆に小林が評価するのは、山鹿素行《やまがそこう》や伊藤仁斎《いとうじんさい》、荻生《おぎゅう》徂徠《そらい》らであり、さらに中江藤樹《なかえとうじゅ》・熊沢蕃山《くまざわばんざん》、契沖《けいちゅう》といった人々であった。彼らと比べてみると、羅山の思想といったものをはっきりと掴み出すことは難しいように感じられるのだろう。そして、羅山の功績とは、徳川幕府の意向に従って四民を統制するための道具として朱子学を加工したことにあり、それはたんなる御用学問であって、真の学問ではないというのが小林の主張なのだと思う。たしかに、思想史の流れを捉えてみようとしてみた時、わかりやすい形を取って「学問の志」といった内実が羅山の中に存在しているとは言えないのかもしれない。しかし、その時代の状況に即してみた場合、羅山には羅山なりの「学問の志」はあったと思う。このことについては後に述べたい。

また、司馬遼太郎は大坂の陣を描いた小説『城塞』（新潮社、一九七一年）の中で次のように記している。

林道春《どうしゅん》（引用者注・羅山のこと）は家康にとって都合がよかった。京の市中の匹夫《ひっぷ》の子としてうまれ、出世欲がつよく、権門のためなら物事をどう歪曲《わいきょく》してもいいという、学問技師としての融通性をもっている。（中略）のちかれは、幕府の意向をうけて、人間というものの諸活動を制限したり、その身分を固定するための法律を考えだすといういわば悪魔的な仕事に従事し、後世の日本人にはかり知れぬ影響をあたえてしまったが、その学者としての学問的な深さは、後世からみれば大したことはない。

人民を圧迫する「悪魔的な仕事」とまで言われると羅山先生もかわいそうな気がしてくるが、権力に手を貸したこと自体はその通りであろう。幕府の中で地位を得て上昇していこうとする、出世主義としての側面もたしかにあった。その学問の評価についても、「学者としての学問的な深さは、後世からみれば大したことはない」とあり、小林秀雄と同じように低い。これへの反論は、まとめて後ですることにしよう。

すぐれた業績

ただ、悪名高い方広寺鐘銘事件だけでなく、駿河版出版、駿河文庫の管理及び書籍の処分、朝鮮通信使の応接、裁判事務、外交文書作成や諸法度《しょはっと》の起草、『寛永諸家系図伝』『本朝編年録』など系図・歴史書の編纂といった事柄によって、幕政の運営へ関わった羅山の人生は、やはり大きな意味を持つものであったと思う。

学問的にも、四書五経は言うに及ばず、『老子』、治政を説く『貞観政要《じょうがんせいよう》』、『三略』『孫子』などの兵学書について読解を試み、その訓読は道春点《どうしゅんてん》として名高い。金言集などの啓蒙書を作成した意義も大きい。日本古典の注釈として『徒然草』を対象とする『野槌』があり、辞書としては『多識編』が今日でも貴重な国語学的資料となっている。系図としては、右に挙げたもの以外に『京都将軍家譜』『織田信長譜』『豊臣秀吉譜』などがあり、神道関係では『本朝神社考』の価値が高いというように、数多の業績がある。また膨大な量の詩歌や文章を残していることが、版本『羅山林先生詩文集』、写本『羅山外集』などによって確認できる。『怪談全書』の著も文学的に有意義である。

多くの分野にわたって博識であることはこの時代の文化人全般に求められたことであるにしても、羅山はその程度がはなはだしい。また、それらは個別にはさほど深くなかったとしても、後述するように、時代の始まりにあって、さまざまな〈知〉を集め、整理し、一般に公開した意義は決して小さくない。

右のような点から鑑みて羅山の人生とその業績はやはりすぐれたものであったと思うのである。言い換えれば、彼はたんなる出世主義者なのではなく、純粋な知識欲と言うべきものも持ち合わせていた。そのことも絶対に忘れてはならない。

そのいちいちの意義については、本書の中で少しずつ触れていきたい。

なお、小林秀雄や司馬遼太郎の見方とは別に、たとえば前田勉『近世日本の儒学と兵学』や黒住真『近世日本社会と儒教』などのように、思想史研究の視点から羅山の立場を擁護しようとする研究もあることを、急いで付け加えておく。本書は、そのような視点を支持した上で、文芸の側面からさらに羅山の価値を検証し、晩年に到るまでの人生の軌跡を辿りながら、その生涯の意義を見定めようとするものである。

江戸時代における人気

先に現代では低い評価が一般的だと述べたが、実は江戸時代ではそうではなかった。博識で、かつその時代の思考様式の基礎を築いた人物として、羅山に対しては一定の敬意が払われていたと言えるだろう。

たとえば、江戸時代に作られた百科全書として有名な『和漢三才図会《わかんさんさいずえ》』（寺島良安著、正徳二年〈一七一二〉成立）の巻九十九葷草類にある、煙草の項目には次のような引用がある。

羅山文集に云はく、佗波古《たばこ》・希施婁《きせり》は、皆番語なり。其の草、之を採り、乾暴して、其の葉を剉《きざ》み、紙に貼りて之を捲きて、火を吹きて其の烟を吸ふ。其の後は、希施婁を用ゐて紙に貼らず。希施婁の制、或いは鍮《しんちう》を用ゐ、或いは竹を用ゐて、其の佗波古を盛る者、鍮を以て之を為す。状、牛翠花《あさがほ》の様の如く、其の底尾に孔有りて、斜《なな》めに屈《かが》して煙筒《らう》の上に連なり続く。会有る毎に必ず之を備へて酒并を用ゐるが如し。之に雑《まぜ》るに丁香《ちやうかう》・沈香《ぢんかう》等を以てす。或いは妓女・遊君、以て寄声通意の媒《なかだち》と為し、一吸一呑必ず相酬酢《すひつけ》る。（原漢文）

右は「羅山文集に云はく」とあるように、同書巻五十六「佗波古・希施婁」の抄録である（小異あるがほぼ原文通り）。つまり、煙草を解説するに際して、羅山の説明が参考とされているのである。この『和漢三才図会』所引部分では、煙管を用いない初期の飲み方、煙管の素材・形状・用法、男女の交情を仲介する役割を果たすこと、などが述べられている。とくに煙管を用いない初期の飲み方の記述は、煙草史の貴重な証言として注目に値するとされる。

そもそも煙草は天正（一五七三～九二）の頃、南蛮船によって日本にもたらされ、慶長（一五九六～一六一五）の頃に種子が伝来して、急速に日本国内に広がり、寛永（一六二四～四四）には特産地も出現した。したがって、文学作品の素材としても江戸時代特有の物である。羅山の「佗波古・希施婁」には「慶長年中、少壮之時、所作也」という注記があり、この文章は煙草伝来からさほど時を経ずに成ったものと言える。

羅山はかなりの愛煙家であったらしく、徳川光圀から煙草を賜ったお礼として贈った漢文（『羅山林先生文集』巻五十九）にも、煙草を飲む習慣がなかなか止められないと述べている。

江戸時代には多数の煙草を詠んだ漢詩があり、大槻玄沢《おおつきげんたく》の著した煙草大事典とでも言うべき『蔫《えん》録《ろく》』にも、羅山の三男林鵞峰《がほう》や安積澹泊《あさかたんぱく》・榊原篁洲《さかきばらこうしゅう》・新井白石・荻生徂徠らの作品が掲載されている。そして羅山の右の文は、それらの先駆的価値を有しており、そのことを認めて、『和漢三才図会』も右の引用を行ったのではないだろうか。

他にも、『和漢三才図会』では、「羅山文集に云はく」としていくつもの引用を行っている。めずらしいところでは、「歌舞妓」の由来について羅山が述べたものを引いている例などが指摘できるだろう。

羅山の詩文を引用することは、『和漢三才図会』のみにとどまらない。

狂歌師四方赤良《よものあから》としても知られる大田南畝《おおたなんぽ》は、享和元年（一八〇一）大坂銅座出役を命じられて大坂へ向かった際に著した紀行文『改元紀行』の、大磯にさしかかったくだりで、次のように記している。


　此あたりに虎御前のやしき跡ありといふ。大磯の宿を過て、名におふ虎御石みんと延台寺に入れば、鬼子母神堂・虎池・弁財天の宮あり。石に太刀疵矢疵といへるものありて、曾我十郎が身がはりにたてるなど、寺僧のかたるも覚束なし。寺は延山十九世法雲院日道上人慶長年中に草創せるとぞ。十郎慷慨愛㆓於菟㆒といへる羅山子の詩の句も思出られておかし。


文中引用の羅山詩句「十郎慷慨して於菟を愛す」は『羅山林先生詩集』巻一所収『丙辰紀行《へいしんきこう》』中の七言絶句「大磯」の起句。『丙辰紀行』は単独の刊本が寛永十五年（一六三八）に出ている。「南畝文庫書目」を見ると両者ともに載っているので、南畝がどちらに拠ったかは決め難い。

詩句の意味は、曾我兄弟のうち兄の十郎は憤って心を奮い立たせ、かつ虎御前を恋慕したということ。「於菟」は虎の異名。

また、『明石松蘇利《あかしのすずり》』（宝暦十年〈一七六〇〉刊）という、柿本人麻呂の一代記を描いた黒本（絵本文芸の一種）でも、「羅山文集曰、従三位柿本朝臣人麿は、持統・文武につかへ、一代の妙歌あり。紀州・讃州・筑紫を経歴《へれき》して詠歌多し」という引用がある。

さらに、式亭三馬の合巻『鬼児島名誉仇討《おにがこじまめいよのあだうち》』（文化五年〈一八〇八〉刊）でも、冒頭に「羅山文集云」として天狗についての記事が掲げられる。

右に引いたのはほんの数例であるが、ここからだけでも羅山の詩文が江戸時代の人々によってさまざまに引用されていることが見て取れるのである。

以上のような羅山引用について思い合わされるのは、湯浅元禎（常山）『文会雑記《ぶんかいざっき》』で「羅山文集ハサン〳〵ナレドモ、当時ノ事実ハ碑志ナドニテ見ユルナリ。菅丞相《くわんしようじやう》（引用者注・菅原道真）ノ伝ナドハ、成《なる》ホドヨク書《かき》タリト覚ルナリ」とあるような批評である。すなわち、詩文としての表現はよくないが、中に書かれてある事実は有益だと言うのである。このことは羅山詩文の享受史を考える上で重要な視点をわれわれに与えてくれよう。

ただし、後代の人間にとって有益な情報を残せたのは、旺盛な好奇心によって獲得された豊富な知識とそれを選別する批評眼、さらにそれらを表現する力が羅山に備わっていたからに他ならない。そこにはたんなる事実の記録者ではなく、表現主体として自立した存在の羅山がやはりいたのである。

また、博識の学者として認識されていた羅山の詩文を引用することは、権威付けの手段ともなりえたであろう。そのありかたは、啓蒙書を多数世に出したことや、道春点の普及などによって助長されたであろうし、江戸時代を通じて一定の権威を持ち続けた昌平黌《しょうへいこう》と林家の存在もこれを保障しつづけた。

以上のことを証する文献をさらにいくつか引いておくと、大田錦城『梧窓漫筆《ごそうまんぴつ》』三編（天保十一年〈一八四〇〉刊）に「羅山先生の博識は敬服すべき勿論なり」とあり、天野信景《あまのさだかげ》『塩尻』（享保十八年〈一七三三〉頃成）巻二十三にも「道春実有二鋭志一、博学当時無二比レ之者一」とある。都の錦の浮世草子『元禄太平記』（元禄十五年〈一七〇二〉刊）で取り上げられる、火事に遭った呉服屋の大福帳を一字一句覚えていて再現したという逸話（巻六―五「立身の本学問ぞかし」）も、その暗記力の高さを描いており、そういった印象は後々まで強くあったことが知られるのである。

南畝の『評判茶臼藝《ひょうばんちゃうすげい》』（安永四年〈一七七五〉刊）では立役之部の巻軸に至上上吉として朱子学を据え、「今時三つ子が唐詩選をよむ世の中に、四書ばかりは道春点、いつもかはらぬしのゝたふまくのせりふ」と述べている（南畝の戯作は権威を茶化してもいる）。道春点とは羅山の施した訓点のことだが、これは後に漢文訓読の基礎的な型となった。そのような道春点への信頼も、羅山の学識への敬意によって成り立っていよう。

そして、この博識な学者という評価の背後には、日本朱子学の祖、徳川体制の確立に関与した学者、などといった、時代のありかたと密接に関連する重要な要素が存在しており、羅山は江戸という時代の姿そのものを象徴する存在の一つでもあった。そのため人々は羅山の博識に親しみや敬意を感じていたのではないか。さらに極言すれば、かつて小高敏郎氏が指摘した、羅山の学問の特徴である自由討究の気風や共同研究法、合理的・実証的な精神などが、江戸時代の学問や文化、ひいては社会の形成に及ぼした影響の大きさを、この時代に生きる人々が無意識のうちに感じ取っていたことによって羅山への敬愛の念が存在していたのではないか、とも想像されるのである。

羅山の学問の本質

さきほど小林秀雄の言を引用したが、そこでは「学問の利用法」だけがあって「志」がないというように批判されていた。しかし、その「利用法」ということの中にも思想的なものはあり、「志」は含まれていると私は考える。

羅山の心の中には、幕府の支配体制を強固なものにするという現実的できわめて政治的な「利用法」だけがあったのではない。それは表面上のことであって、もっと本質的な、江戸時代を代表する「学問の利用法」を初めて実行に移した人だったのである。その場合の「利用法」をより詳しく説明すれば、

さまざまな〈知〉を集めてきて、合理性に基づいて秩序を与え、それを広く浸透させる。

ということになろうか。そこに最も根本的なこの時代の思考法があるように思う。もっとも「さまざまな〈知〉を集めてきて、合理性に基づいて秩序を与える」ところまでは、中世の学芸書によってかなりの程度達成されていただろう。しかし、その程度をさらに増し、そして「それを広く浸透させる」ところに江戸時代の特性が認められる。

そのような行為によって、羅山という人は最終的に何をしたかったのか。私なりのことばで言うなら、彼は、

世界を全体として理解しようとする姿勢を持っていた人だったのだと思う。今生きている混沌とした世界に対峙して、そこにあるすべてのものに触れて、自分なりに再構成したいという願望が強くあったのだ。これこそ知識欲の最たるものと言える。だからこそ、飽くなき情熱によって、さまざまな知を集成したわけだし、逆に言うとやや雑になって、個々の深まりが不十分になってしまった。しかし、粗削りであっても、「世界を全体として理解したい」という切実な願いは、総合性、実証性、啓蒙性といったことばで象られる江戸時代的精神を、時代の最初期にあって先取りするものであったのである。

そして、彼の「志」を実現させるためには、立身出世という世俗的な欲望が伴わざるをえなかったとも言える。そう言ってしまうと評価し過ぎなのかもしれない。彼にも名誉欲のようなものはあったろうし、一家の再興という使命も強く自覚していたに違いない。ただ、名誉欲も人間が根源的に有している欲望に他ならず、いかにも人間的だと言えるだろう。

・結局のところ、その知識欲と出世欲はどう絡まり合いながら、羅山の人生は展開していったのか。
・そして、羅山の編み出した江戸時代を代表する思考法はどのくらい重みを持ったものだったのか。

右の二点を大きな問題意識として持って、本書では羅山の人生を記述してみたいと思う。

第一章　朱子学開眼

1　少年時代

誕生

天正十一年（一五八三）八月、林羅山は京都四条新町に林信時（林入）の長男として生まれた。母は、田中氏。幼名を菊松麻呂《きくまつまろ》と言う。すぐに、信時の兄で子がいなかった吉勝（理斎）の養子になる。つまり林氏の本家の跡取りとなったわけである。参考までに、羅山に関連する人々の系図を次頁に掲げておく。

当時、養父の吉勝は米穀商を営んでいた。林氏一族は、中流の町家に没落した元郷村地主だったのである。

幼少より聡明であった羅山は、一族の期待を担うことになる。そして、この一族の再興を現実のものとするためには、学問の世界で成功するしか方法がなかった。十三歳で建仁寺に入るのも、そのの

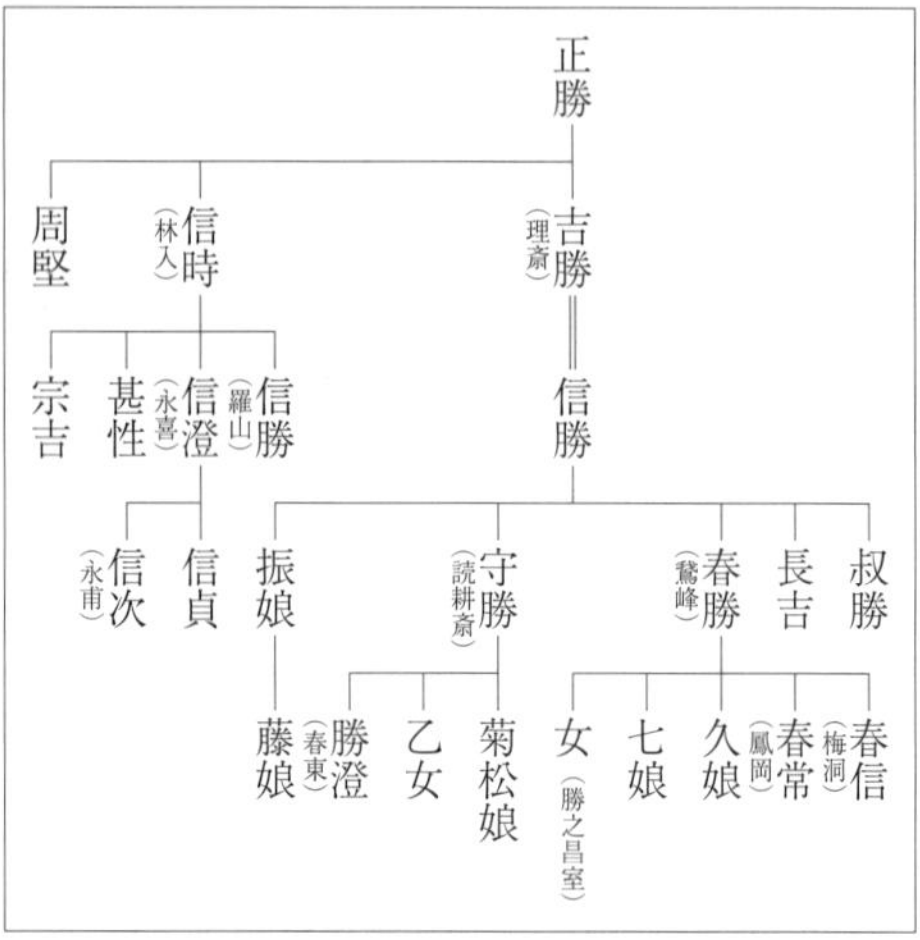

林家略系図

ち儒学によって徳川幕府の中で地位を得ようとするのも、その根底には上昇志向を抱いた一族の思いを背負っていることが働いている。

羅山が生まれた二年後には、同母弟永喜（信澄・東舟《とうしゅう》）が誕生している。この弟とは終生良好な関係にあった。林家は、吉勝・信時、羅山・永喜、鵞峰《がほう》・読耕斎《どっこうさい》と、男性兄弟の結束が固い点に特徴がある。

羅山は、非常に暗記能力の高い、そして理解力もすぐれた少年であったらしい。

天正十八年、八歳の時には、通用の俗字を知り、甲州の徳本《とくほん》という浪人が家に来て『太平記』を読むのを、傍らで聞き暗誦したと、鵞峰（羅山の三男）著の「羅山先生年譜」や読耕斎（羅山の四男）著の「羅山林先生行状」には記されている（この二つの資料はきわめて重要で、本書でもしばしばそれらの記述に負っている）。

文禄三年（一五九四）、十二歳の時には、国字に通じ、演史小説を読み、漢籍も窺い見る。記憶してそれを忘れないことは、まるで耳が「嚢（ふくろ）」のようになっていて、一度入ったら漏れることは

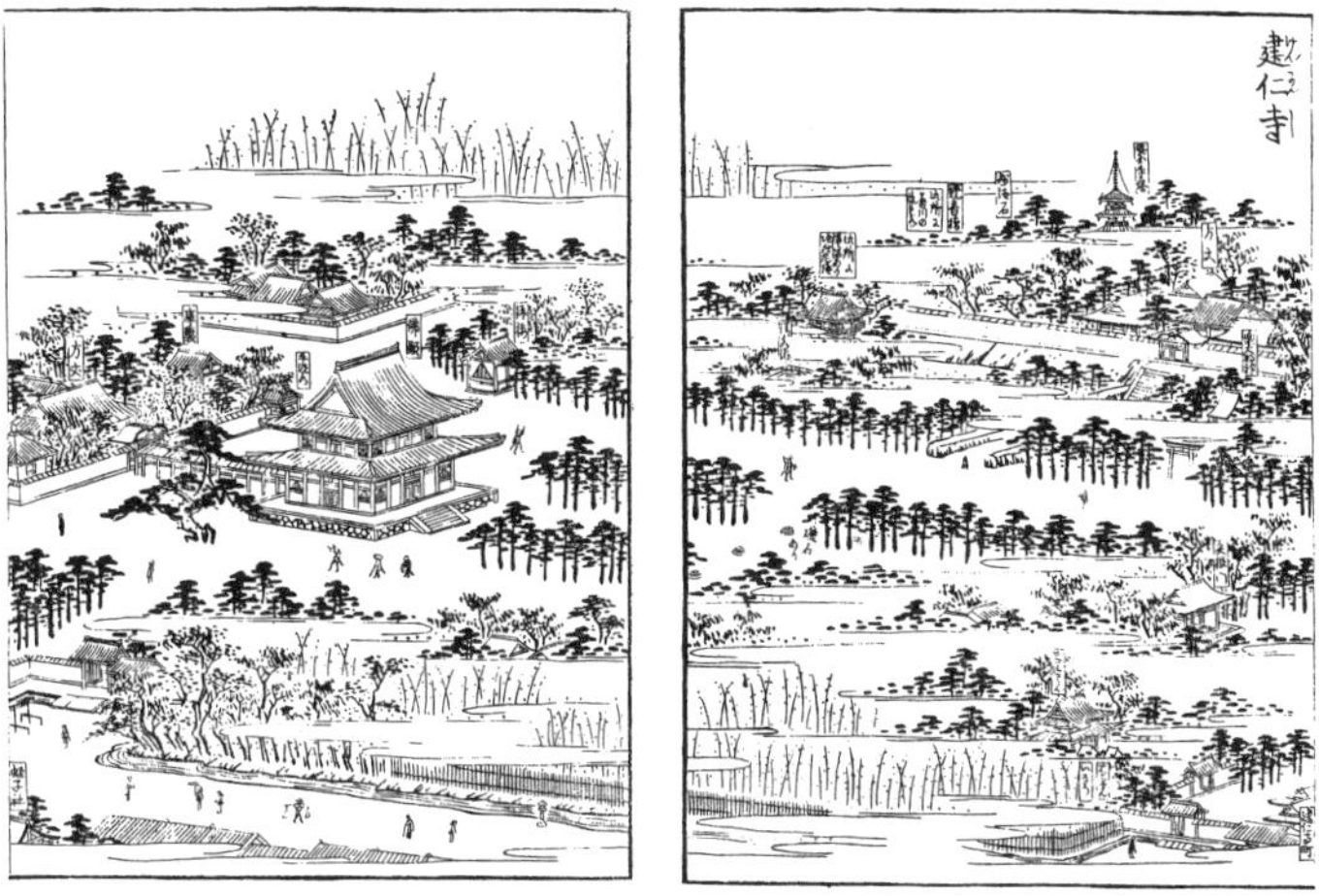

『都名所図会』建仁寺

ないと人々が歎じたほどだったと、「年譜」や「行状」にある。

建仁寺での日々

周囲の期待もあってか、文禄四年、十三歳で元服して又三郎信勝《のぶかつ》と称した頃、羅山は建仁寺《けんにんじ》大統庵に入り、長老古澗慈稽《こかんじけい》（一五四四～一六三三）に学ぶようになった。

建仁寺は、京都五山の第三位に当たる禅寺（第一位は天龍寺、第二位は相国寺）。源頼家の寄進により栄西を開山として創建された、由緒ある臨済宗の寺院である。最初、真言・天台・禅の三宗兼学の寺であったが、蘭渓道隆《らんけいどうりゅう》（一二一三～七八）の時代に純粋の禅宗寺院となっていた。

翌慶長元年（一五九六）には、やはり建仁寺十如院の英甫永雄《えいほようゆう》（狂歌作者の雄長老《ゆうちょうろう》としても知られる）が『荘子』や白居易《はくきょい》の「長恨歌」「琵琶行」を講義するに当たって、どの程度かはともかく助手のようなことをしたらしい。国立公文書館内閣文庫蔵『歌行露雪《かこうろせつ》』はその自筆稿本で、永雄は手跋で「寔《まこと》に後生畏《おそ》るべき者なり（原漢文）」と羅山を賞賛している。

建仁寺では、学者としての将来に期待して、羅山を出家させ、禅僧にしようとした。しかし、羅山は首を縦に振らない。そこで、慶長二年の夏には、京都奉行前田玄以《げんい》が建仁寺の要請により松田政行を遣し、羅山の剃髪出家を養父吉勝と実父信時に対して説得させた。吉勝・信時ともに羅山の意思を尊重すると返答する。寺側は暗黙の了承を得たと解釈したが、羅山はひそかに寺を出て家に戻ってしまった。足掛け三年いて、建仁寺を去ったことになる。

二点ほど言い添えておこう。

まず、なぜ僧侶としての栄達の道を選ばず、寺を去ったのか。

これについては、その四年後に、養母小篠《おしの》氏が没した折に羅山が著した哀悼の詩序の中で、この当時、母から、「お前はかつて『親に産んでいただいた身体を傷つけないのが孝行というものです。また、子孫がいないのも親不孝です』と言ったではないか。私はお前を養育して十五年になるが、もし今出家して僧侶になったならば、これは不孝というものだ」と言われたので、建仁寺を去ることを決意したと記している。

ただ、僧侶では子が作れないため林氏一族の繁栄に結び付かないという理由だけで、彼が寺を出たとは思われない。この時代、仏教はすでに知識人にとって最先端の学問ではなかった。寺院という伝統的で閉じられた空間以外の所でこそ自分の人生の活路が開けるであろうという予感のようなものに衝き動かされて、結果的に人生最大となった選択をしたのだと考えてみたい。

もう一点。建仁寺は羅山にとって学問への入口の扉を開いてくれた重要な契機であり、そこで得た学問的基礎は終生彼を支えるものとなった。そもそも中世の禅林において儒教の研究は奨励されていた。当時の禅寺でも儒教は学んでいたわけだから、儒学者としての基礎もそこで身に付けていたはずである。

十五にして学を志す

ところで、建仁寺を去る時、羅山は十五歳だったわけだが、十五歳というと、『論語』の為政《いせい》篇にある「吾、十有五にして学に志す」が思い浮かぶ。厳密に言うと、羅山の志学は、十七歳で学問の基本を経学《けいがく》（四書五経など儒教の教典を研究する学問）と見定めた時点か、あるいはその一年後の朱子学《しゅしがく》に開眼した時点と考えられるので、必ずしも『論語』と羅山の人生が合致しているわけではない。しかし、だいたい重なり合っているとは言えるだろう。

ちなみに、『論語』ではこのあと次のように続く。

三十にして立つ。四十にして惑はず。五十にして天命を知る。六十にして耳順《みみしたが》ふ。七十にして心の欲する所に従へども、矩《のり》を踰《こ》えず。（原漢文）

これを羅山に当てはめると、どうなるだろう。而立、すなわち学問についての見識が確立したとされる頃、家康に仕えて湯《とう》武《ぶ》放伐《ほうばつ》論について答えたり、方広寺鐘銘事件に関与したりしていた。不惑の

孔　子

翌年、四十一歳の時、家光が将軍になり、さらなる活躍の時期を迎える。天命を覚る五十歳には先聖殿《せんせいでん》が建設され、権威的な存在を確定させる。何を聞いてもただちにわかる耳順《じじゅん》の頃、系図編纂を命じられている。孔子は七十三歳で没しているが、羅山はそれより二年長生きする。

『論語』は精神的な成長に重きが置かれているので、羅山の実人生の栄達と比べるのはやや無理があるかもしれない。だが、儒学者としての彼は、『論語』が説いた人生の階梯を常に意識していたのではないだろうか。

日本人の宗教

さて、ここで日本人にとってなじみの深い宗教五つを整理しておこう。

まずは、当面最も問題となる儒教。その教典を学ぶのが儒学であり、その一派に朱子学がある。儒教は、孔子（紀元前五五一〜紀元前四七九）の登場によって成立した。親子・兄弟間の親愛の情（それぞれ「孝」「悌」と称する）という家庭道徳に基づく「仁」（他者に対するいたわりの心）を重んじ、中国古来の「礼」を回復させ、道徳性を重視する。目上の人への礼儀を重んじ、身分秩序を守ろうとする傾向があり、それが徳川政権の目指す封建社会のありかたと結果的に合致することになる。日本には五世紀に仏教に先んじて伝えられた。孔子とその門人を祀る釈奠《せきてん》という行事が朝廷の儀式として律令体制下に始まり、室町時代でいったん途絶えるが、寛永十年（一六三三）には羅山が釈《せき》菜《さい》として再興する。

それと敵対するのが、仏教。ゴータマ・シッダールタ（紀元前五六三頃～紀元前四八三頃、または紀元前四六三頃～紀元前三八三頃）が開いた。無常観に基づいて、八正道《はっしょうどう》（正しい道）を行うことで、生老病死など人間の苦悩から逃れることができるとする。日本には、五三八年（一説、五五二年）に朝鮮半島から伝えられた。聖徳太子が篤く信仰し、奈良時代には国家仏教として興隆。平安時代には、山林仏教として政権とやや距離を置いた。天台・真言両宗の密教が中心であった。鎌倉時代に入ると民衆へ流布し、新仏教として浄土・浄土真・日蓮・時・臨済・曹洞各宗が勃興する。臨済・曹洞宗は禅宗で、さきほどの建仁寺は羅山がいた当時、臨済宗の寺院であったわけだ。江戸時代に入ると、仏教は幕府の統制下で管理されるものとなる。

儒教と仏教が対立する中で、それぞれが味方に付けようとするのが、日本民族古来の宗教である神道。自然崇拝や祖霊信仰を中心とする古神道が、律令体制によって神祇官《じんぎかん》制度として再編される。平安時代以降、本地垂迹説《ほんじすいじゃくせつ》（神は、仏・菩薩が人々を救済するため仮の姿をとって現れたという考え方。「権現《ごんげん》」と称する）によって神仏習合《しんぶつしゅうごう》が一般化する。羅山は、仏教に対抗するため神儒合一を唱える。

道教は、神仙思想と原始的民間信仰が合体し、さらに老荘思想と仏教を取り入れてできた。不老長寿を目指し、現世での利益を求める。

朱熹

キリスト教は、イエス（紀元前四頃～二八）を救済者キリストと信じ、人類愛と神の福音を説く。天文十八年（一五四九）イエズス会のフランシスコ・ザビエルによって、日本にもたらされた。徳川政権下では弾圧され、羅山も批判する文章を書いている。

ちなみに、他の世界的な宗教としては、ユダヤ教・イスラム教・ヒンドゥー教などがある。

2　朱子学へ

朱子学開眼

慶長四年、羅山は十七歳になっていた。さきほど述べたように、鵞峰の「羅山先生年譜」では、この年、これまで読んださまざまな書物がすべて五経（『易経』『書経』『詩経』『春秋』『礼記《らいき》』）に基づいており、それを研究する経学こそ学問の基本であるとの認識を抱いたとある。

さらに翌五年には、学業が大いに進み、朱子が施した注釈を読んで、朱子学に開眼したと、「年譜」や「行状」が記している。

朱子学とは、南宋の儒学者朱熹《しゅき》（一一三〇～一二〇〇。朱子と尊称された）によって大成された学説で、儒教の教典の中では、五経よりも四書（『大学』『中庸』『論語』『孟子《もうし》』）を重視し、そこに描かれる古代の聖人の心に学ぼうとした。

最も重要な学説は、理気説《りきせつ》と呼ばれるものである。おおまかにまとめれば、以下のようになる。

宇宙に遍く「理」が存在する一方、現実の世界において、万物は「気」によって構成されている。「理」は根本原理である一方、行動の規範でもあり、それに対して「気」はいちいちの現象であると捉えることができる。「理」は「気」によってしか具体化されない。逆に「気」は「理」によって運動することを基本とする。ところが、現実的には、「気」には正しい状態と、そうでない状態とがある。そのことは、人間の場合、「性」ということばを用いた二つの鍵語によって説明できる。一つは「本然《ほんぜん》の性《せい》」。これは「理」そのものであり、至善《しぜん》。もう一つの「気質《きしつ》の性」は、不完全なところを含み、したがって邪悪な事態を引き起こす可能性がある。そこで、「気質の性」を「本然の性」に戻して、正しい秩序を回復するため、心を修養する必要がある。このようにして、宇宙と人間とは同じ原理によって統一される。

以上のように、朱子学の理気説は、宇宙観と人間観が合致しており、躍動的な世界観が提示されていると言えるだろう。もっとも、人間本来の欲望に打ち克って天道の理に復することを求めるあまり、極端な厳格主義に陥りかねない危うさも持っており、必ずしもよい面ばかりではない。

右のような理気説の特質をさらに敷衍させて、為政者の立場から捉え直した時、「修己治人《しゅうこちじん》（己を修めて人を治める）」、つまり自己の修養によって民を治めることが目指されるようになる。そもそも朱子学は、中国宋代の士大夫《したいふ》、つまり科挙出身の高級官僚たちが天下国家の運営を担う気概によって支えられていたものだった。

羅山のことば「心タヾシカラネバ身モヲサマラズ、身ヲサマラネバ国家モヲサマラズ」（『三徳抄』）も、このことと関連する。

なお、羅山の理気説解釈としては彼独特のものがあるが、それについては後述する。

なぜ朱子学に惹かれたのか

記憶力抜群のすばらしい秀才だった少年は、なぜ寺院での学問に飽き足らず、朱子学に惹かれるようになるのか。ちなみに、後に述べる藤原惺窩《ふじわらせいか》も羅山同様仏教から儒教に転じた。つまり、この時代の優秀な頭脳は仏教より儒教に惹かれるという傾向があったわけだ。そのことについては、黒住真『近世日本社会と儒教』における、以下のような説明によって的確に理解できると思われるので、少々長くなるが、全文を引きたい。

勢力としては微弱な儒教が、仏教を退けて「聡明なるもの」を引きつけたとすれば、それは一体どうしてだったのか。根本の問題としてまずあるのは、儒教が何より自己と共同体の形成や統合をめぐる知識だったということである。混乱と死にみち、不条理な自然や運命に翻弄されている社会においては、後世や出離を説き鎮魂をおこなう仏教には当然高い需要がある。仏教は生活世界の外部あるいは深層に対処する技術として、社会とくにその上層の主体にとっては必須のものである。しかし、平和と安定の基調をもとに、世が開けて厚みをもって形成され、それ自体のものとして対処すべき領域となり、処世・経世など倫理的政治的な価値が人々の直接の中心的関心としてせり上がってくると、それを充たすものとして儒教への需要があらわれてくる。

加えて、宋以降の新儒教は、そうした儒教の本質を受け継ぎながらも、従来の儒教とは違って格段に高度な体系をそなえていた。それは壮大な宇宙論・人間論をもち、これを合理主義的な理気の論が貫徹する。人々を深く理想主義的に規律化し、自己と社会の強固な形成をはかる。そうした壮大な価値合理主義的な枠組みを、新儒教はじつは仏教から摂取したのだが、それを他界にではなく、世の形成へとふり向けたのである。こうした言説の体系によって、新儒教は、中国・朝鮮において、実践・認識両面にわたる知性の欲求を吸収して社会の主導層をとらえ、仏教を追い落として近世社会形成の支配的論理としての地位を確立した。

もはや付け加える必要もないが、前半で述べられている、儒教と仏教の関係を別のことばで言い換えると、つまり儒教は世間について現実的な対応を提示する思想であり、それに対して仏教ではいかに世間から逃れるかが求められている。現実世界に救いがない時代には後者のような考えは必要とされるが、現実が繁栄へと向かう時代にはむしろ前者が必要とされる。羅山は、徳川の世の到来にあって、そのことを敏感に感じ取り、自らの才能を十分に発揮させて、時代の波に乗ったと言えるだろう。このの後羅山は家康と出会い、引き立てられていくわけだが、時代の最初期においていち早く朱子学を取り入れ、そののち長く続いていく学問の基盤を形成したという点で、彼は「学問における家康」としての位置を獲得したとも言える。

黒住氏は、そういった時代の要請と同時に、考え方の斬新さ・壮大さという理由を、羅山が朱子学に惹かれた理由として挙げているが、これについては先に簡潔に説明したので、これ以上触れないでおく。

第二章　藤原惺窩との出会い

1　公開講義

慶長七年（一六〇二）、二十歳の秋、長崎に遊び、帰途、長門の阿弥陀寺に立ち寄った。この寺は、そもそも安徳天皇鎮魂のために建てられたもので、明治八年（一八七五）赤間神宮となった。

『論語集注』の公開講義

翌慶長八年、朱熹の論語注釈である『論語集注《ろんごしっちゅう》』を公開講義する。中世以来の秘伝思想に対して敢然と挑戦する試みとして、文学史的にも重要な行為だと言えよう。羅山個人としても二十歳を越えて、なにかに挑戦する場を求めていたのだろう。これに対し、明経《みょうぎょう》博士《はかせ》の清原秀賢《ひでかた》（舟橋秀賢。一五七五〜一六一四）が家康に告訴する。というのも、当時の清原家は儒学の権威的存在であり、また四書五経は朝廷の許可なしに講じることが許されていなかった。つまり、

松永貞徳

二十一歳の無名の青年が当代随一の学者の権益を侵したのだった。しかし結局秀賢の訴えが取り上げられることはなかった。

　そして、諸方面からの批判に対しても、羅山は「何とも心にかけおもはず、たゞいよ〱読けり」（『野槌』序）という態度であった。自分がすばらしいと思った朱熹の注釈を世に広めたいという勇んだ気持ちが若い彼にあったのは間違いない。そして後で述べるように講義を聞きたいと考える人々の存在も後押しした。さらに言えば、羅山にはこのことで目立って仕官への道を探るという目的もあったのかもしれない。しかし、それだけではなく、知識を吸収し広めるという彼本来の知性のありかたが純粋に発動したという側面もあったと思う。出世欲と知識欲は共存しているのである。

　ところで、この時、歌人で古典学者である松永貞徳《まつながていとく》（一五七一～一六五三）が『百人一首』『徒然草』を、京都の医師遠藤宗務《そうむ》が『太平記』を同時に講釈していた。つまり、羅山一人の勇み足なのではなく、秘伝公開へと進んでいく文化的な運動が起こっていたということになる。ここでは、貞徳が著した『徒然草』の注釈書『なぐさみ草』（承応元年〈一六五二〉以降刊）の跋文を引こう。

其比《そのころ》、今の道春法印（引用者注・羅山）いまだ林又三郎信勝とて若年なりしが、「稽古のため新註の四書を講談つかまつりてみばや」と申されしまゝ、「いとよろしかるべき事なり」と申侍し。遠藤宗務法橋は太平記講談せらる。其比、儒学・医学の若き人々、丸（引用者注・貞徳のこと）にも「這《この》つれ〳〵草をよみてきかせよ」と所望せられしかども、ふかくいなみて過し侍りしに、信勝の父・叔父また宗務の祖父など、「若きものどもばかり講尺《かうしやく》つかまつれば、なにとやらん心もとなきまゝ、是非御読なされてたべ」と、みづからが隔なき友垣をかたらひ、そゝのかされしゆへ、是非に及ばずしてよみ侍し。これ、つれ〳〵草の講尺のはじめにて侍ると世に申きと云々。

この貞徳の文章を読むと、今われわれが当然のように読むことのできる古典作品の本文とその注釈が、かつてはきわめて厳格な秘伝思想に基づいて限られた人々にのみ流布しており、その禁を犯すことがいかに抵抗感のあることだったかが知られるし、そういったものを打破したいという時代の始まりの熱気のようなものも伝わってくる。

貞徳は、羅山が『論語集注』を公開講義したいと言った際には、「いとよろしかるべき事なり」と賛意を表したものの、自分が『徒然草』の講義を行うことは拒絶し、羅山の父らに、若い者だけでは頼りないから、貞徳も加わってほしいと懇願されて、しぶしぶ参加したという感じなのである。どこまでが彼の本心で、どこからが見せかけなのか、わかりにくいが、賛同する気持ちはあったものの、やはりためらわれる部分もあった、というあたりが本当のところではなかったか。ちなみに、貞徳は羅山より十二歳年上である。

また、右の文章で注目されるのは、「其比、儒学・医学の若き人々、丸にも『徒つれ〲草をよみてきかせよ』と所望せられしか」という点である。新しい時代を迎えて、それにふさわしい学問・教養が広く求められていたのである。

松永貞徳の後悔

もっとも、貞徳はこのことを大変後悔したらしく、晩年に彼が著した『戴恩記《たいおんき》』（正保元年〈一六四四〉頃成立）には、次のようにある。

此入道殿（引用者注・公家の中院通勝《なかのいんみちかつ》のこと）には、王代記・年代記のよみやう、亦《また》二十一代集の真字《まな》仮名の序、幷《ならびに》歌の中、不審の事ども数ケ条、又つれ〲草の御講尺を、聴聞仕りたりき。其後道春初而《はじめて》論語の新註をよみ、宗務太平記をよみ、丸にも歌書をよめと、下京の友達どもすゝめしにより、なにの思案もなく、百人一首・つれ〲草を、人の発起《ほっき》もなきに、群集のなかにて、大事の名目などをよみちらし侍りけるを、きこしめしつけさせ、陰《かげ》にて御にくみ有けるとかや。「道に聞て道に説《とく》ことなかれ」と古人のいましめを背き、御腹をたてさせ申《まうせ》し罪さり所なく、今も思ひ出れば、悲しく臍《ほぞ》くはれ侍る。丸がごとき卑賤の者ならば、よびよせて打擲《ちやうちやく》もすべきを、上臈《じやうらふ》にておはするゆへ、打むかひては御色にもいだささせ給はざりし、はづかしさよ。わかき時は思慮なき物にてこそ候へ。

「きこしめしつけさせ、陰にて御にくみ有ける」の主語は、中院通勝（一五五六〜一六一〇）。『源氏物語』の注釈書『岷江入楚《みんごうにっそ》』の著で知られる高名な古典学者である。貞徳は、通勝からさまざまな和歌の秘伝を学んでいたのを、「なにの思案もなく」「群集のなかにて、大事の名目などをよみちらし」てしまった。通勝はそのことを怒っていたが、身分の高い公家なので、おおっぴらにそれを表すことがなかったのを人づてに聞き、貞徳は「はづかし」「わかき時は思慮なき物にてこそ候へ」と恥じているわけである。

なお、「道に聞て道に説ことなかれ」は、『論語』陽貨篇の「道に聴きて塗《みち》に説くは、徳をこれ棄つるなり」という、人に聞いたことをすぐ受け売りして話すのを戒めた文章を踏まえている。

それにしても、羅山の方は批判があっても「何とも心にかけおもはず、たゞいよ〳〵読けり」であったのに、貞徳のこの後悔の大きさはどうだろう。両者の差について、羅山の方がふてぶてしい出世主義だと断罪するのは簡単だが、そういう理由だけではなさそうだ。これは、堀勇雄氏が指摘しているることだが、羅山の方は清原家の秘伝そのものを公開したわけではなく、朱熹の注釈を用いているのに対して、貞徳の方は公家社会を中心として伝えられた古来よりの秘伝を開陳してしまったわけで、衝撃の度合いは貞徳の方が大きかったのである。

2　惺窩との出会い

慶長九年（一六〇四）、羅山は二十二歳になっていた。そして、彼の人生にとってきわめて重要な出会いの瞬間が訪れる。

惺窩との討議

この年の、閏八月二十四日、吉田玄之《はるゆき》の紹介で、播州竜野の人で惺窩と親しかった賀古宗隆《かこそうりゅう》邸において、藤原惺窩《ふじわらせいか》（一五六一〜一六一九）と初めて会うことができたのである。

吉田玄之は、角倉素庵《すみのくらそあん》（一五七一〜一六三二）。京都の豪商で、朱印船貿易を行っており、父了以《りょうい》の河川事業や、嵯峨本の出版にも協力した。惺窩に朱子学を学んでいた。

羅山より二十二歳年上の藤原惺窩は、その当時最高の儒学者だったと言ってよいだろう。最初相国寺の僧侶だったが、のち儒学者へと転じた。仏教から儒学へという転身も羅山と同じである。文禄二年（一五九三）三十三歳の時、徳川家康に謁見し、『貞観政要』（帝王学のための参考書）を講じた。慶長元年、よき師を得るため薩摩から明に渡航しようとしたが失敗した。同三年には赤松広通邸で朝鮮の姜沆《きょうこう》（朝鮮王朝の文臣で、慶長の役で捕虜になっていた）に会って学んでいる。さらに同五年には、儒者の正装である深衣道服《しんいどうふく》を着て、家康に謁見し、『漢書』を進講している。羅山が喉から手が出るほど欲しい人脈を有していたとも言えるだろう。もちろん、羅山が惺窩に会おうとしたのは、自分より実力が上の者に学びたい、挑みたいという純粋に学問的な欲求に基づくものでもあったと思われる。

ここでも出世欲と知識欲は共存している。

すでにこの年の三月以降、書簡のやりとり（『羅山林先生文集』巻二に収められる「田玄之に寄す」。角倉素庵宛の書簡だが、実際には惺窩に宛てて書いている）によって、惺窩の朱陸併取、大学三綱領について羅山が批判し、両者の間で討議がなされていた。

朱陸とは、朱熹と陸象山《りくしょうざん》の二人の考え方である。朱熹が朱子学を打ち立てたのに対して、陸象山（一一三九～九二）は朱子学の格物窮理《かくぶつきゅうり》（個々の事物に即してその理を窮める）を疑問視し、心の主体性を重んじる説を唱え、この考えは王陽明《おうようめい》（一四七二～一五二八）に継承され、実践倫理を重視する陽明学へと発展していく。中国でも両者は激しく対立し、それが惺窩と羅山の問答にも持ち越されている。惺窩の方は、朱も陸も儒学の一派であり、仏教に比べればかなり距離は近いのだし、多様な論点を学ぶ意味でも摂取してよいという包摂的な考えであり、それに対して羅山はあくまで両者を厳密に区別し、陸学を排除しようとした。

『先哲像伝』藤原惺窩

もっともこの羅山の態度は決して独特なものではなく、中国における陽明学批判を参考にして述べただけだと言われている。吉田公平氏によれば、この時羅山は明末の朱子学者である陳清瀾の『学蔀《がくほう》通弁《つうべん》』の立論によって尊朱排陸論を展開しているにすぎなかった。そこから、吉田氏は、

羅山は創見に満ちた思想家ではない。むしろ、舶来の新情報を受容することに追われて、根本義に返ってそれを相対化し、あらためて「古学」を発見するいとまがなかったのだといってもよい。羅山の本領はそこにはなかった。そうではなくして、あらたに紹介された新儒学の核心を適格に理解して公言し、いちはやく問題の所在を発明したところにある。

と指摘している（『江戸の儒学――『大学』受容の歴史』）。ただ、私としては序論で述べたように、そういった姿勢の中に、ある価値を認めたいのである。

もう一つの論点である大学二綱領とは、『大学』の冒頭の文章「大学の道は、明徳を明らかにするに在り、民を親しましむるに在り、至善に止《とど》まるに在り（大学で学ぶ最終目的としては、すばらしい徳を身に付けてそれを輝かせ、民衆が親しみ睦み合うよう仕向け、この上なく善である境地に踏みとどまることである）」について、惺窩が明徳と親民に至善は属していると捉えたのに対して、羅山は朱熹が三綱領と言っているところから反対したのである。

このような批判をする態度からは、なんとか自分の賢さを惺窩に認めてもらいたいと客気にかられ

る若き日の羅山の姿が浮かび上がってこよう。

惺窩と羅山

全体として二人の性格を比較すると、惺窩は高潔で包容力のある人格で隠逸的傾向があったのに対し、羅山は世俗への野心もあったとされる。このことはおおむね妥当である。この時、そのような羅山の性格を見抜いた惺窩は、

汝は何を以て学と為《な》すと謂《おも》ふや。若《も》し名を求め利を思はば、己《おのれ》が為にする者に非ず。若し、又、此《これ》を以て世に售《う》らんと欲せば、学ばざるが愈《まさ》るには若《し》かじ。(『羅山林先生文集』巻三十二「惺窩答問」)(原漢文)

と羅山に対して諭してもいる。名利を求めるために学問をするくらいなら、しない方がましとは手厳しい。それに対して羅山は「余、聞きて心に銘す」という気持ちになったと記しているのだが、はたしてどこまでそう思っていたのか。

なお、右の惺窩のことばは、『論語』憲問篇の「古《いにしへ》の学ぶ者は己の為にし、今の学ぶ者は人の為にす(昔の学ぶ者は自己の修養のために学問をし、今の学ぶ者は人に知られたいと思ってする)」を踏まえている。

そのように両者の間には学問や人生観に違いはあったが、にもかかわらず交流は以後も存続する。羅山の側には、惺窩を通じて得られる仕官への期待から、そう簡単にこの交流を断つことはできなか

ったろうし、またなによりお互いにとって、朱子学を信奉する人間はまだ少数派である状況下で、自分の選んだ学問について熱中して語り合える相手が欲しかったに違いない。惺窩も、好き嫌いや考えの違いはともかく、羅山の学識自体には敬意を払っていたと思われる。

ちなみに、右のような惺窩の清廉な性格は、一つには彼が若い頃から病弱だったことから来ているという指摘が、太田青丘氏によってなされている。この会見の三年後、惺窩が四十七歳の時に羅山に宛てた書簡の中では、「拙、七月十日俄《にはか》に中風、右半身遂げず。今日に至つて竟《つひ》に廃人と為る者なり」（原漢文）（『惺窩文集』巻三）と記している。すでに二十歳の時に詠んだ詩の中にも「風病を治する為に」有馬温泉に行ったことが記されている。「中風」は今で言う脳出血か脳梗塞。若いうちに軽い発作が起き、四十半ばになって本格的なものが起こったということではないかと太田氏は述べている。

以上述べてきたような両者の性格から、華やかに滅びた豊臣氏と支配者として三百年の長きにわたり繁栄する徳川氏という対立項を、五十九歳で没した清廉な惺窩と支配者に諂って権力に近づき七十五歳の齢を保った羅山という対立項に重ね合わせて、前者に同情や共感を、後者に敵意や批判を覚えるという見方がしばしばなされるように感じられる。そのことはある程度肯定されるべきものだが、それだけでは一面的ではないか。

俗世間という現実にまみれ、社会を維持する枠組みを作り出そうとする努力は、ともすれば矛盾を孕みがちだが、そのような試みをしている人々にも一定の評価が与えられなくてはならない。そうでないと社会が成り立たないからだ。世界を動かしていく人とそれを厳しく検証する人の両方が必要なのである。本当は、一人の人間が両者を兼ね備えていることが望ましいと思うし、なかにはできている人もいるだろうが、古今の政治家を見ていると、それがいかに難しいかもよくわかる。だから、社会全体の均衡を保つ上でも、世の中から超然として正論を述べている人だけでなく、現実と苦闘しながら矛盾を抱え込み、それでも自分の理想を実現しようとしている人も同じくらい評価されるべきだと思う。

「既読書目」

鵞峰著の「羅山先生年譜」には、惺窩と会見した同じ慶長九年の条に、二十二歳までに読んだことのある書として羅山が列記した四百四十余部の書名が載せてある。いわゆる「既読書目」と称されるものであり、これについては宇野茂彦氏に丁寧な分析がある。惺窩に会うのを前にして、あるいは会った後、それを人生の節目と考えて、これまで自分が読んだ書物をまとめておこうと思ったのであろう。

それらのすべてをここに挙げる余裕はないので、だいたいの傾向を知るために、主だった書名を以下に掲げておきたい。

〔儒　教〕『孝経』『大学』『論語』『孟子』『中庸』（以上、四書）『易経』『詩経』『書経』『礼記』『春秋』（以上、五経）

〔朱子学〕『性理大全《せいりたいぜん》』『二程全書』

〔儒教以外の思想〕『老子』『列子』『荘子』『淮南子《えなんじ》』『抱朴子《ほうぼくし》』『墨子』『孫子』

〔仏　教〕『臨済録』『禅苑方語』『維摩経《ゆいまきょう》』『大日経疏《だいにちきょうしょ》』『翻訳名義集』『無門関』『釈氏要覧』『大

蔵経目録』『浄土三部経』『科注法華経』『般若心経《はんにゃしんぎょう》』『楞厳経《りょうごんぎょう》』

〔キリスト教〕『天主実義』

〔歴　史〕『史記』『漢書』『後漢書』『呉越春秋』『通鑑綱目《つがんこうもく》』『十八史略』

〔詩　文〕『文選』『楚辞』『陶淵明集』『古文真宝』『李白集』『杜甫集』『白氏文集』『樊川《はんせん》集（杜牧）』『王荊公詩集（王安石）』『東坡《とうば》詩集（蘇軾《そしょく》）』『山谷集（黄庭堅）』『放翁詩集（陸放翁）』

〔類書その他〕『事文類聚《じぶんるいじゅう》』『酉陽雑俎《ゆうようざっそ》』『博物志』『山海経《せんがいきょう》』

〔薬学・医学〕『素問《そもん》』『霊枢《れいすう》』『本草綱目』『医方考』

〔国　書〕『三教指帰《さんごうしいき》（空海）』『元亨釈書《げんこうしゃくしょ》（虎関師錬）』『空華《くうげ》集（義堂周信）』『蕉堅藁《しょうけんこう》（絶海中津）』『百人一首』『梅花無尽蔵（万里集九）』『日本紀』『神皇正統記』『延喜式』『倭名類聚抄《わみょうるいじゅしょう》』『職原抄』『禁秘抄』

右からは、基本的な漢籍を中心に、かなり広範囲にわたって学識を蓄えていたことが知られよう。ただし、鵞峰の注記によれば、全体を熟読したものもあれば、一部しか読んでいないものもあり、すべてを読破したというわけではない。とはいえ、やはり相当な読書量と言うべきであろう。

読耕斎著の「羅山林先生行状」には、羅山が熱心に読書するさまを次のように記している。まず読む場所は書斎に限らず、到る所で読み、巻を披くとおしまいまで読み通した。外出する際、駕籠が待っていても、再三呼んで、ようやく残編を整理してその場を去るということがしばしばであった。帰宅して服を着替えると、朱墨を執ってすぐに書を読んだ。夜に読み始めると、深夜になっても止めず、座ったまま寝たり、うたたねする。というのも、しばらく瞼を閉じたら再び起きて続きを読もうとするからなのである。そのためには、帯を解いて寝所に入ることもなかったという。

「行状」には、「両眸《りやうぼう》明朗にして、久しく視《み》て瞬《またた》きせず。老に至りて、夜、細字を読むに眼鏡を用ゐず」ともあり、目はかなり丈夫だったらしい。うらやましいことである。

第三章　徳川家康との日々——上　昇

1　政治との関わり——仕　官

徳川家康に拝謁する

慶長十年（一六〇五）、二十三歳の時、ついに待ちに待っていた機会が到来する。四月十二日、二条城において、羅山は初めて徳川家康（一五四二～一六一六）に拝謁することができたのである。

これは、家康の家臣で惺窩の門人でもある城昌茂《じょうまさもち》が、惺窩の意を受け画策したことにより実現した。惺窩自身が家康に近侍することが求められている可能性もおおいにあったのではないかと思われるが、隠逸的な志向のある惺窩はそれを潔しとしなかった。自分の健康にも自信がなかったのだろう。

こののち、年内に二回、羅山は家康に謁見した。その時に家康から受けた質問は、後漢の光武帝（劉秀。紀元前六～五七）は漢の高祖（劉邦。紀元前二四七～紀元前一九五）の何代目か、漢の武帝（紀元前一五六～紀元前八七）の返魂香《はんごんこう》はどの書に見えるか、屈原《くつげん》の愛した蘭の品種は何か、の三点で、いずれにも「九世の孫」「『白氏文集』の新楽府《しんがふ》及び東坡詩註」「沢蘭《さわらん》」というように答えることができた（鵞峰「羅山先生年譜」）。

徳川家康

ちなみに、「返魂香」は、火にくべると死者の生きていた時の姿が見える香。武帝が李夫人の死後に、その魂を呼び戻そうとして香をたき、その面影を見たという故事がある。

この質問内容から判断して、堀勇雄氏は、羅山に求められていたのは「百科辞典の代り」に過ぎなかったと指摘するが、第一回目の質問なので、軽く知識を尋ねたということではなかったのか。なお、彼に何が求められていたのかについては、後でもう少し考えてみたい。

この時には、相国寺の西笑承兌《せいしょうじょうたい》と円光寺の閑室元佶《かんしつげんきつ》（いずれも臨済宗の僧侶）、また清原秀賢らも同座していた。この難問は、その学識によってすでに家康に近侍していた彼らが仕組んだ陥穽《かんせい》であったと、堀勇雄氏は指摘している。

この時の羅山の気持ちはどんなものだったろうか。『論語』子路篇には、次のような孔子のことばがある。

苟くも我を用うる者あらば

苟《いやし》くも我を用うる者有らば、期月《きげつ》のみにして可ならん。三年にして成すこと有らん。

（もし誰かが私を登用して政治をさせてくれたなら、一年だけでもよい。もし三年もあれば立派に完成させられるのに。）（原漢文）

羅山はまだ二十三歳だから、そこまで政治に深く関わるということを考えてはいないだろうが、気概としてはこのようなものだったのではないだろうか。悍窩に接近して、自分の実力を認めさせ、そして家康に拝謁する道筋をつけてもらい、いよいよそこまで手が届いて、彼の野望は現実のものとなっていった。

家康の羅山登用の目的とは

この時、家康はすでに六十四歳。七十五歳で没するから、晩年の域に入っていたと言ってよい。関ヶ原の合戦に勝利し、征夷大将軍に任ぜられ、江戸に幕府を開いて、武家政権の代表的存在を不動のものとしていた。当然のことながら、天下をどう治め、徳川の世をいかに存続させていくかということは常に彼の念頭にあったろう。

そういった戦略の中で、羅山はどのように位置付けられていたのか。言い換えると、羅山はどのく

らい家康にとって重要な存在たりえたのだろうか。古くは、和辻哲郎が『日本倫理思想史』で述べるような、

社会組織の固定を遂行するに当たって、彼（引用者注・家康）は新しく儒教を思想的な根拠づけとして用い始めたのである。（中略）家康が五年後に政権を握ったときには、（中略）学問の奨励をもっておのれの時代を始めた。慶長四年（一五九九）の孔子家語《こうしけご》、六韜《りくとう》三略の印行を手初めとして、その後連年、貞観政要の刊行、古書の蒐集《しゅうしゅう》、駿府の文庫創設、江戸城内の文庫創設、金沢文庫の書籍の保存などに努めた。そうして慶長十二年には、ついに林羅山を将軍の侍講《じこう》として召し抱えるに至った。こうして儒教に精神的指導権を認めるという態勢をととのえた（下略）

という視点や、丸山真男が『日本政治思想史研究』で述べるような、

家康は儒教のうちに単に将来の教化手段のみでなく、江戸幕府の正統性の拠点を模索していたのかもしれない。いずれにしても家康が儒学に求めたものが文学的乃至《ないし》註釈的な研究ではなく、倫理綱常や名分論に存在した以上は、漢唐訓詁《くんこ》の学に対して道統の伝——唐虞三代の道の伝承——を高唱する宋学とくに朱子学は彼によって庇護さるべき充分の適格性を具《そな》えていた。

という視点があり、ここからは家康が儒学（もしくは朱子学）を徳川体制の精神的支柱に据えようという意図があったという評価を導き出すことができるであろう。儒教の理念と徳川政権の運営が合致する、そういった前向きな意味での登用だとするのである。

それに対して批判的なのは、たとえば尾藤正英『日本封建思想史研究』の次のような考え方である。

要するに羅山や惺窩が家康のもとで与えられた地位は、承兌や元佶らのそれと大差のないものであった。そして家康が承兌や元佶を側近においた目的は何であったかといえば、文筆の能力を必要とするような政治上の事務に当らせることであって、寺社行政、外交文書の解読と作成、法案の起草などがその主たるものであり、かねて古書の蒐集や出版、学問文芸の講釈などにも従事させたが、それも政治上の参考ならびに為政者の個人的教養にそなえるためであった。このような方面に学識ある僧侶を利用することは、周知のごとく室町幕府いらいの伝統であって、秀吉のときにも承兌や玄圃霊三《げんぽれいさん》（引用者注・臨済宗僧侶。南禅寺長老）らを用いていた。家康の学者登用は、つまりこの伝統を襲ったものにすぎなかったのである。（中略）政策の方針などにかかわる面について、その意見を求められたような事実は全く見出されない。（中略）その資格はただ博識の学者たることであって、思想とは無関係であった筈である。

ここでは、和辻や丸山のような全面的な評価に比べて、きわめて限定的に羅山の求められていたものが捉えられている。「博識の学者」であればよく、「政策の方針」や「思想」には関わることが期待されていなかったというのである。

羅山の幕府における活躍の内実を検討してみると、将軍や諸大名、旗本らへの啓蒙活動と詩文の贈答、盛儀の記録、系図・歴史書の編纂、図書の管理、外交文書作成や諸法度の起草、朝鮮通信使の応接といった活動が主であり、そういう点では尾藤氏の指摘の方が実態に即しており、正しいと思う。今日では、尾藤氏のこの見解がほぼ定説となっていよう。

もっとも、家康は文禄二年（一五九三）に惺窩から『貞観政要』について講義を受け、その後も『漢書』等の講義を受けており、儒者の登用にかねてより熱意があったとは言える。それは新時代にふさわしい思想であるとの予感（確信とまでは言えない）を家康も抱いていたからのことではなかったのか。ただし、家康は熱心な仏教徒であり、儒教に全面的に傾倒することはありえなかったろう。そして、尾藤氏も右の書の別の箇所で指摘しているように、外来思想である儒教（もしくは朱子学）を日本の政治運営にそのまま持ち込むのは難しかったはずだ。そういう意味では、政治的に利用される範囲はおのずと限定されていたのかもしれない。

ちなみに、ヘルマン・オームス『徳川イデオロギー』でも、
羅山の生涯の軌道は、朱子学が近世初期の歴代の将軍には全然認められなかったのだということを示している。徳川時代最初の半世紀においては、朱子学が公に信奉された「国家イデオロギー」あ

るいは正統思想であった、と言うことはできない。そうした言葉をどのように修飾限定しようとも。羅山は、しばしば幕府のイデオローグとして描かれるけれども、組織の神学者としてよりも、むしろ聖具室係《サクリスタン》として働いたのである。

と指摘されている。

ただし、長期的な見通しをもって捉えてみた場合、羅山は幕府に一定の地位を得たことで、十全に自己の能力を発揮し、多くの著述をものして、序論で触れたように、江戸時代的思考の枠組みを形成する大きなありかた——総合性、実証性、啓蒙性などと称されるもの——を提示した。そして、幕府で徐々にその立場を向上させていき、彼の没後、林家の地位はさらに上昇し、羅山の孫の鳳岡《ほうこう》の時代、元禄三年（一六九〇）に湯島聖堂が完成し、翌年鳳岡は大学頭《だいがくのかみ》となる。そのようにして、幕藩体制の理念と朱子学の内包する封建秩序の思想は次第に接近していったとは言えるのではないか。

つまり、私が言いたいのは、家康にはその意思はなかったかもしれないが、羅山が登用されてから百年弱で結果的に儒教は国家的な枠組みと親和的な関係になっていったということである。江戸時代の文化や社会を考える上で、儒教道徳に基づいた教訓性は決して看過することのできない根本的な思考様式である。そのことを招来する最初の遠いきっかけが、この時の家康への接近にすでにあったと思われるのである。

急いで付け加えておくが、江戸時代の学問・思想において朱子学のみが特権的に扱われたというわけではなかった。右のことは、朱子学が有力な一つのものとして存在していたという範囲内での謂である。

徳川家康との日々

このあと、湯武放伐論への返答や方広寺鐘銘事件での対応（後述）までに、主に家康・秀忠との間で起こった出来事を列挙しておこう。

慶長十一年（一六〇六）、二十四歳の三月十五日、家康が江戸を出発し、四月六日、伏見へ入城する。九月二十一日伏見出発までの間、伏見城にてしばしば家康に拝謁している。また、伏見城内の家康所蔵本を閲覧した。翌年から幕府に仕えることが内定する。

慶長十二年、二十五歳。三月八日、駿府到着。同月十一日、家康に拝謁する。四月十七日、徳川秀忠（一五七九～一六三二）に拝謁し、十五日間侍し、その間『六韜』『三略』『漢書』を進講する。『六韜』『三略』は兵書。

同年閏四月十七日、朝鮮よりの回答兼刷還使（正使呂祐吉、副使慶暹、従事官丁好寛）が秀忠拝謁のため江戸へと向かう途次、駿府を通過した際、筆談する。

同年冬、長崎へ旅行し、『本草綱目』を購入し、家康に進献する。（後述）

同年、家康の命により剃髪、名を道春と改める。駿府と京都に宅地と土木料を賜る。羅山からすれば、仏教を批判してこその儒者であるのだから、法体になることは屈辱でもあった。しかし、家康にとっては、儒者を登用する前例がなく、僧侶が文筆の才によって武家に仕えた伝統に従おうとしたに過ぎない。羅山はもはや後に引けないところまで来ており、剃髪も外形的なことだと割り切って、妥協的・現実的に対応せざるをえなかった。寛永八年に中江藤樹（一六〇八～四八）が「林氏剃髪受位弁」（『藤樹先生全集』）を著し、この剃髪を批判している。

慶長十三年、二十六歳。三月二十七日、弟永喜、家康に拝謁する。そののち秀忠にも謁する。同年、駿府において『論語』『三略』を家康に進講する。また駿府文庫の管理を任され、官本を自由に閲覧する。このことは、家康に近づいた一つの目的であったにちがいなく、ここには彼の純粋な知識欲が見て取れる。年俸三百俵も賜る。

慶長十五年、二十八歳。九月五日、家康から『群書治要』（中国唐の魏徴編。政治のための参考書）の書写を命ぜられ、以心崇伝《いしんすうでん》（一五六九～一六三三。金地院。臨済宗僧侶。家康の信任が厚く、幕政に深く関わり黒衣の宰相などと称された）とともに掌る。

同年十二月十六日、家康の側近であった本多正純《ほんだまさずみ》（一五六五～一六三七）に代わり「大明国に遣す」を、長崎奉行長谷川藤広《ふじひろ》に代わり「福建道の陳子貞に遺す」を起草する。羅山にとっても最初の外交文書だが、儒学者の著した外交文書としても日本初であった。慶長十六年七月十五日、本多正純に代わり「南蛮舶主に答ふ」「阿媽港に諭す」を起草する。このあと、長谷川藤広に代わり「阿媽港の父老に寄す」を、金銀改役後藤光次に代わり「阿媽港の諸老に諭す」を起草する。南蛮船はポルトガル船。阿媽港はマカオ（中国珠江の河口部にある港湾都市）。十月三日、長谷川藤広に代わり「呂宋国主に呈す」「占城国主に呈す」を起草する。呂宋はルソン（フィリピン最大の島）、占城はチャンパ（ベトナム南部にあったチャム族の国）である。

慶長十六年、二十九歳。四月十二日、家康の命により法令三ケ条を起草する。九月十九日、家康に『建武式目』を進講する。

同年、京都周辺に采地三百十石余を賜る。在駿の費用も下賜される。

慶長十七年、三十歳。二月、家康の命により『東鑑綱要《あずまかがみこうよう》』を著す。三月十日、伊豆山般若院（走湯権現社）僧侶の快運が家康に進献した『続日本紀』を読む。

右のような一連のできごとを通覧してみると、この時点で幕府が羅山に求めていたのは、相良氏の指摘の通り、外交文書の作成や歴史書や兵書に関する知識といった、儒学者としての本道からは外れるものであったことがわかる。ここに、羅山の失望感が存したことは想像に難くない。もっとも、出世のための足掛かりと割り切ってもいたろう。本当に失望していたら、この時点で幕府と関わるのを止めてしまうだろうから。

湯武放伐論

慶長十七年（一六一二）、この頃、家康は悩んでいた。関ヶ原の合戦に勝って、豊臣方に対して自分の武力的優位は揺るぎない。豊臣秀頼（一五九三〜一六一五）が頼りにしていた加藤清正も死んでしまい、軍事的な力があって豊臣家を守ろうとする大物は浅野幸長《よしなが》と福島正則の二人となった。だが、後顧の憂いを残さないためには、どうしても豊臣家を滅亡させる必要がある。そこで、家康の悩みは、かつての主君を討伐することへの倫理的な障壁をどう乗り越えるかということだった。

同年三月十一日と六月二十五日に、羅山が湯武放伐《とうぶほうばつ》についての質問を家康から受けたのは、そのような当時の状況を反映してのものだったろう。この湯武放伐とは、『孟子』梁恵王下篇にある、次のようなやり取りを指している。

斉の宣王《せんおう》が孟子に問うことには、「かつて、殷《いん》の湯《とう》王が前代の夏《か》の桀《けつ》王を放逐《ほうちく》し、周の武王は前代の殷の紂《ちゅう》王を征伐したというが、そんなことがあったのだろうか」と。孟子は「あったと伝えられています」と答える。王は言う、「湯王も武王も、もとは桀王や紂王の家来なのに、その主君を殺してよいのだろうか」。それに対して孟子が答えることには、「本来はよくありません。しかし、仁の行いをそこなう者を賊《ぞく》といい、人の道をそこなう者を残《ざん》といいます。この残賊の人は王ではなく、たんなる一人の平民に過ぎません。ただ一人の男である紂が討たれたということは聞いておりますが、主君を殺したということは聞いたことはありません」と。

つまり、天下の民が君主を慕っている間は、その人物は君主たる資格があり殺されるようなことはあってはならないが、乱暴で残虐なふるまいをした桀王や紂王からすでに民の心が離れており、一人の平凡な男に堕してしまっているから、放逐され、殺されても仕方ありません、宣王様もよい政治を行わないと、家来に殺されても仕方ないのですよと諫めたという話なのである。これは、孟子の革命を肯定する思想（「易姓《えきせい》革命」）として知られ、万世一系の皇室を持つ日本ではしばしば問題となる考えとされた。

言うまでもなく、この時、家康が湯武放伐論に興味を抱いていたのは、大坂城攻撃のための理論的根拠をそこに得ようとしたからである。つまり、この論理を援用して、もはや豊臣秀頼からは人心も離れているので、かつての主君である豊臣家を徳川が討ってもかまわない、という結論を持ってこようというわけである。

そして、羅山の返答は「湯武の天命に応じ人心に順ひて桀紂を伐しも、はじめより己が身の為にせむの心なく、たゞ天下の為に暴悪を除《のぞき》て、万民を救はんの本意なれば、いさゝかも悪とは申べからず」と、それを是認するものだった。これに対して家康も「其説の醇正《じゅんせい》にして、かつ明晰なる」と応じたという(『徳川実紀』)。

もっとも、そののち徳川の世になると、羅山は「天即理」という朱子学の考えを根拠に人間の上下関係は先天的に決められているものだとの立場を取り、革命思想を否定する(源了圓「日本における『神』観念の比較文化論的考察」)。徳川が豊臣を倒す時には革命を肯定し、徳川が安定的に政治をする時には革命を否定するというのでは、その態度が融通無碍と言われても仕方ない。しかし、この頃の羅山にはとにかく家康に気に入られたいという気持ちが強かったのであろう。

方広寺鐘銘事件

慶長十九年(一六一四)、いよいよ大坂冬の陣の年になる。そのきっかけとなる方《ほう》広寺《こうじ》鐘銘《しょうめい》事件には当時三十二歳の羅山も関与した。

方広寺とは、現在京都市東山区にある天台宗の寺である。秀吉が東大寺の大仏殿に倣って、天正十四年(一五八六)ここに大仏殿を建てたものの、十年後の慶長元年に地震によって大破してしまう。

再び造り直して、慶長十九年の八月に大仏殿の落慶法要が営まれることになっていた。その一か月前の七月、家康は「大仏鐘銘、関東不吉の語あり、上棟《じょうとう》の日、吉日にあらず」（『駿府記』）として、上棟・供養の延期、ならびに鐘銘・棟札の文案を駿府に届けることを命じた。具体的には、「国家安康」という部分が「家康」の文字を引き裂いているという嫌疑をかけたのである。

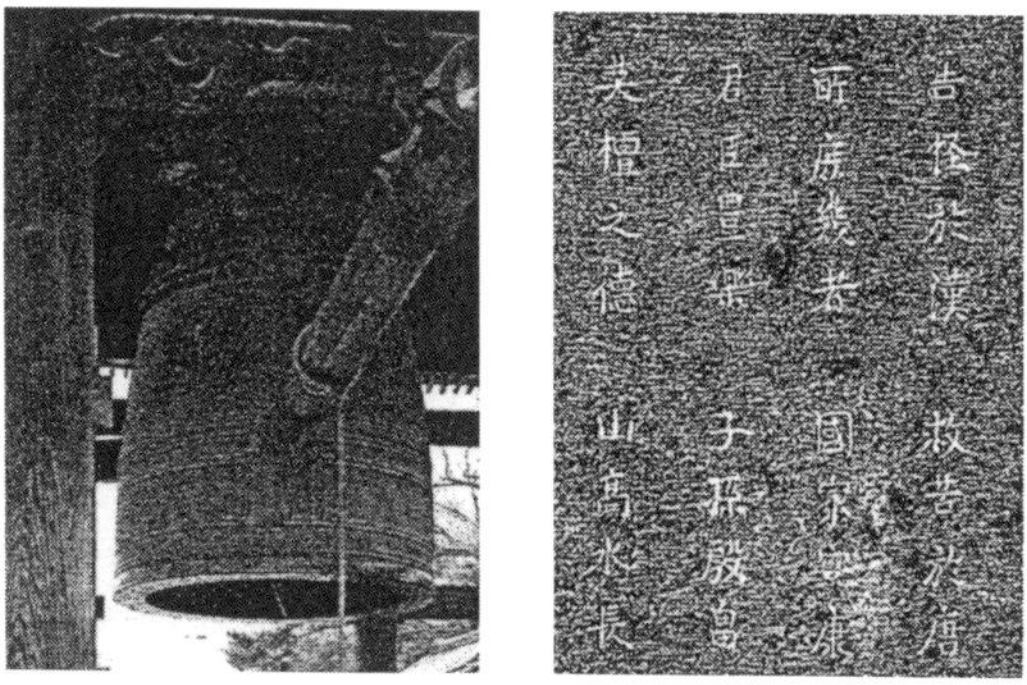

方広寺の鐘銘

そもそも鐘銘を著した文英清韓《ぶんえいせいかん》（秀頼が帰依していた東福寺の僧。?～一六二一）は、「家康」「豊臣」という文字を意識的に織り込んだ上で、「国家」と「君臣」に対する祝意を表そうとした。それを逆手に取って、家康とその腹心が揺さぶりをかけたということになる。

そして、この点について、以心崇伝や羅山、また五山僧たちが諮問される。

羅山は、「君臣豊楽、子孫殷昌《いんしょう》」について、豊臣を君として子孫の繁栄を楽しむという意味だとし、「前征夷大将軍従一位右僕射《うぼくや》源朝臣家康公」という部分についても、本来「右僕射」は右大臣の意だが、この場合には「源朝臣を射る」という意味が隠されていると解釈している。銘文をふつうに読めば、こんな読み方ができるわけがない。まして、羅山のような大学者が

大坂城への攻撃（大坂夏の陣屛風）

このように読むということは、最初から意識的にこじつけようとする意図があったからに他ならない。

羅山の評判が概してよくないのは、儒者でありながら家康の意向に沿って僧侶のように剃髪したり、僧侶の身分である民部卿法印を授かったことと、方広寺鐘銘事件における曲《きょく》学《がく》阿《あ》世《せい》とも言うべきこのような態度に拠るところが大きいだろう。ただ、誤解のないように述べておくと、当初から彼が家康に対して発案して、大坂方へ言わせたわけではない。そこまで彼が政治の中枢にいたわけではなく、あくまで事後承認しただけなのである。

五山僧たちの返答も、家康へのこびへつらいに満ちたものであった。文英清韓の弁明は取り上げられず、十月一日、大坂城攻撃の出陣命令が発令される。その結果、翌年五月には大坂城が落城し、豊臣氏は滅びてしまった。

政治的なこととの関わりに触れたので、今度は、羅山の文化的な役割にも触れておこう。

駿河版刊行

元和《げんな》元年（一六一五）、三十三歳の時から、羅山は「駿河版」という出版事業に携わることになる。まず、三月二十一日、家康から以心崇伝とともに『大蔵一覧《だいぞういちらん》』を開板するよう命ぜられる。『大蔵一覧』は『大蔵経』（一切経。仏典の総称）の抄文集。仏書の出版は羅山の本意ではなかったろうが、致し方ない。約三か月後の六月晦日には、二条城において『大蔵一覧』を家康に進献するという早業であった。

そして、翌年の正月十九日、やはり以心崇伝とともに、今度は『群書治要《ぐんしょちよう》』を開板するよう命ぜられる。『群書治要』は、政治の要道を諸書から採録したもので、唐太宗《たいそう》の時に成った。日本では帝王学の書として尊重された。こちらは、約四か月後の五月下旬に完成させている。『大蔵一覧』の時と同様、きわめて短期間に事を成している。ちなみに、その約一か月前に家康は没しているので、『群書治要』の完成を目にすることはなかった。

この「駿河版」は、国内で初めて作られた銅活字によって

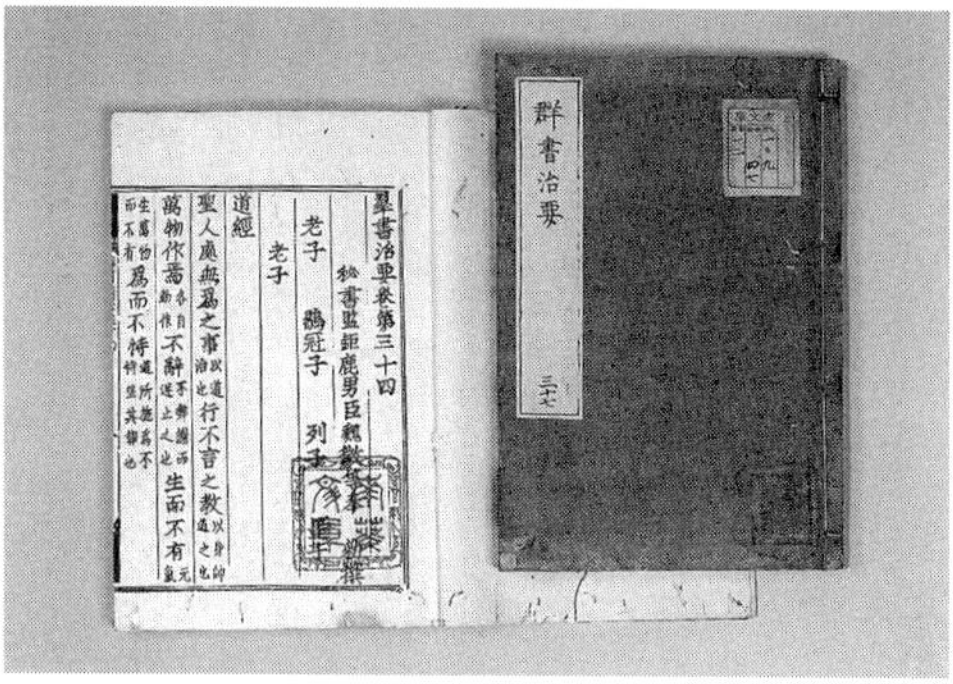

駿河版『群書治要』

駿河版活字

印刷された。その技術は、秀吉の朝鮮出兵を契機として日本にもたらされたものである。それを秀吉から献呈された後陽成《ごようぜい》天皇はこれに基づいて印刷事業を行い、家康はそれらのことに刺激を受けて、慶長十一年から元和二年にかけて、約十一万個の銅活字（一部木活字を含む）を作らせ、必要とされる書物を刊行したのであった（その活字は現在印刷博物館に所蔵されている）。

その際、活字を鋳造し、植字・組版を行い、摺刷する職人たちが動員され、また五山僧たちによる校合もなされた。それらの工程を全体に統括したのが、崇伝と羅山だったわけである。学識があり、行動力にも富む羅山の特性が遺憾なく発揮される使命であったと言えるだろう。また、家康がこの時行ったような銅活字鋳造による出版は、財力がある大物でないと実行できないような印刷技術であった。

江戸時代初期には印刷技術が発達し、家康・後陽成天皇の他、後水尾《ごみずのお》天皇や豊臣秀頼らが命じて作らせたり、また寺院や個人（たとえば前出の角倉素庵らによる嵯峨本）による古活字版が争うようにして出版される。それらは「何か新しいオモチャを手にした子供のように、皆が競って出版という遊びを始めたような、そういう雰囲気を感じ」（堀川貴司氏）る、活気溢れるものだった。羅山もそのような祝祭的な状況下において、この事業を遂行したのである。

日本の印刷は、こののち板木に文字や図像を彫っていく整版《せいはん》が主流になる。活字印刷は、いちいち活字を組まねばならず、増刷もしにくい。返り点や送り仮名も印刷しづらい。そのような理由によって衰退してしまうのである。このあと再び活字印刷が本格的に登場するのは、幕末になってからだった。

家康の死

羅山が、湯武放伐論や方広寺鐘銘事件についての問い合わせや、駿河版の出版などに携わっていたこの当時、それ以外にも家康との関わりは多くあった。慶長十八年三月二十六日には駿府城に登城し、同年六月三日には『論語』を進講、冬には川越・鴻巣《こうのす》などの鷹狩に従い、江戸城の饗宴にも出ている。翌十九年には、家康の命により五山僧達が『群書治要』『貞観政要』『続日本紀』『延喜式』から「公武の法則」となるべき文（のち『禁中並公家諸法度』『武家諸法度』となる）を選択する仕事を、以心崇伝とともに管掌する。その前後も、家康の質問に答えたり、『論語』を進講したり、古記録書写を管掌したりしている。大坂の陣でも家康に近侍した。

そして、元和二年正月二十一日、家康が病気になった際にも、営中において待機している。結局、四月十七日に、家康は没してしまう。享年、七十五歳であった。不思議な縁だが、羅山もその四十一年後に、同じく七十五歳でその生涯を終えることになる。

家康が死んだ後にも、羅山には重大な使命が残されていた。家康の遺品である図書の分配を命じられていたのである。

駿河文庫の書籍処分

家康が没した年の十月下旬、駿府において、いわゆる駿河御文庫の書籍を、江戸・尾張・紀伊・水戸に四分割する。

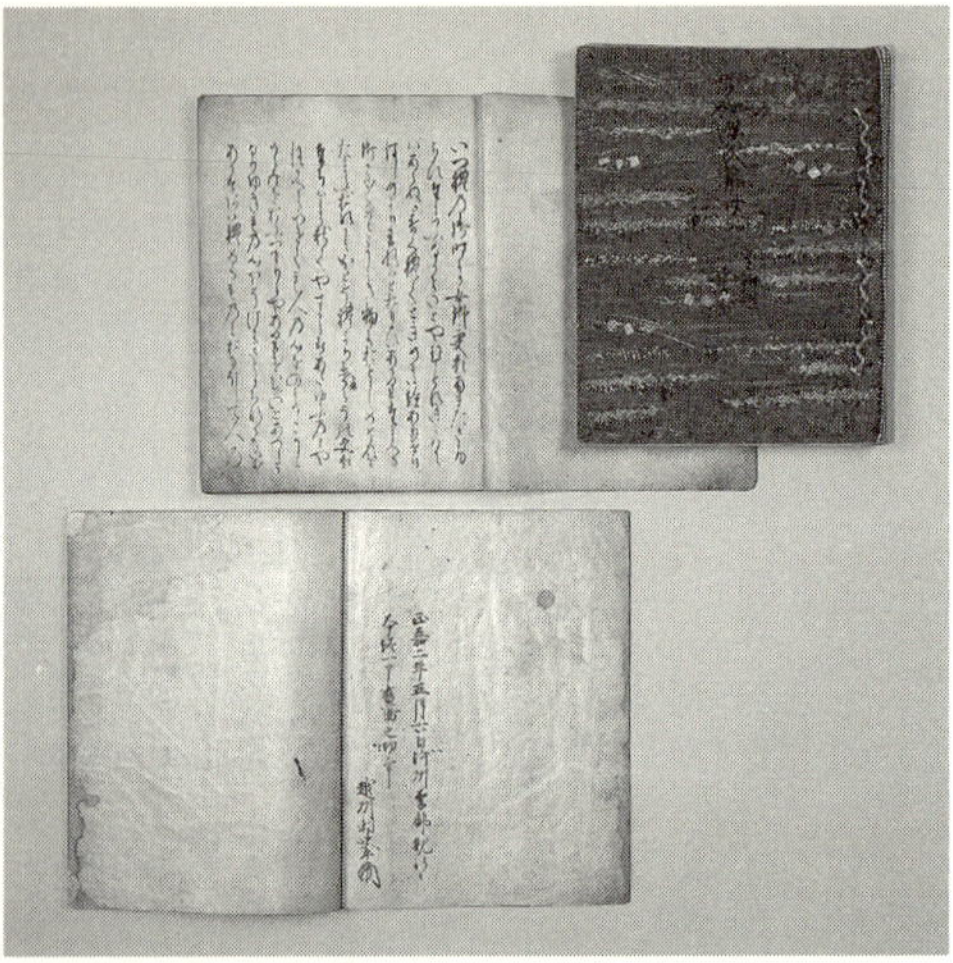

河内本『源氏物語』

駿河御文庫とは、家康が晩年に集書した書物を収めたものを言う。朝鮮出兵前後に日本に渡った朝鮮本（朝鮮で刊行された本）、金沢文庫（北条実時《さねとき》が設置した文庫）本などの古写・古版本、家康が新たに書写を命じた古典籍、家康に進献された書籍などが、その主な内容である。晩年の家康は、先に述べた駿河版の刊行やこの集書活動など文化事業にも力を注いでいた。

その文庫の所蔵本を、尾張・紀伊・水戸の御三家へは五・五・三の割合で分譲した。これらを駿河御譲り本と称する。具体的にどのような書物をどこに配分するのかが、羅山の腕の見せどころであり、駿河版同様、彼の特性が十分に発揮される使命であった。

特に学問・文芸に関心が深かった尾張の徳川義直《よしなお》には、金沢文庫旧蔵の河内本『源氏物語』（正嘉二年〈一二五八〉北条実時自筆による奥書を有する）など、数多くの善本が譲られた。

尾張徳川家に譲られた三七七部のうち、現在でも二四六部が名古屋市蓬左《ほうさ》文庫に所蔵されている。ちなみに、そのうち一二二部は朝鮮出兵によってもたらされた朝鮮本である。駿河版の銅活字も朝鮮から渡来したことを考え合わせると、この時期の朝鮮半島の文化が日本に与えた重要さを確認することができるだろう。

従俗の論理

家康に取り立てられていく日々を振り返ってみると、羅山が望んでいるような地位をそれなりに与えられていく中で、必ずしも本意ではない扱われ方によって、儒学者としての理想が達成されない蹉跌を味わうという、相反する方向性を見て取ることができる。このことに関連して、羅山には従俗の論理という、内（儒）と外（俗）を使い分ける姿勢が見られるとした、

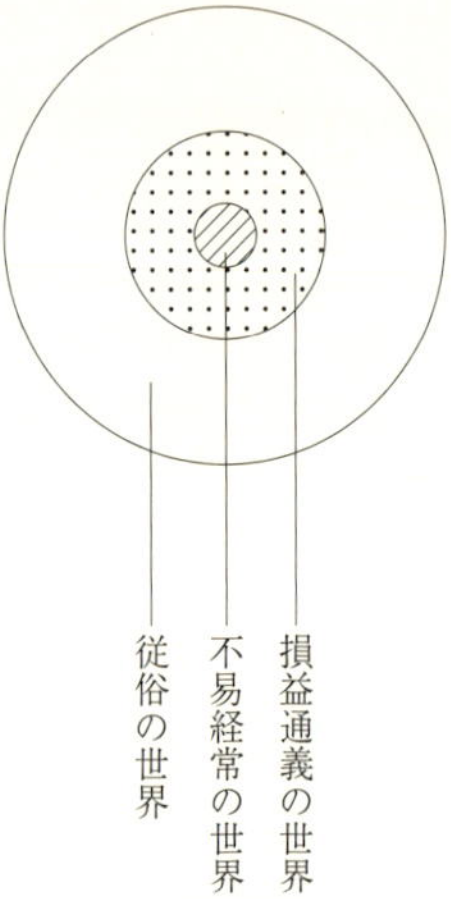

従俗の論理

石田一良氏の説を紹介しておこう。氏によれば、それは上のような図によって示されるものである。

最も中心にある「不易経常の世界」は、すばらしい理想的な社会。朱子学が示す宇宙観の実現である。その周辺にある「損益通義の世界」は、理想世界であるよう努力している社会。朱子学的な世界観を本道としつつ、なんとかそれを現実世界に当てはめていこうとして、適度に調節する社会である。以上の二つが、儒学の聖なる世界である。その周囲にあるのが、「従俗の世界」。ただ、そこでも俗的なものにどっぷりと浸ってしまうのではなく、聖なる教えによって教化しようとする努力は払われているとされる。

石田氏は、そのことを、日本思想大系第二十八巻『藤原惺窩　林羅山』の解説「林羅山の思想」の中で、

> 俗世界において、俗に従っても、俗の心になるのではない、外は俗習の形に従いながら内には儒の心を保つ、これが羅山の「従俗の論理」であった。

と指摘している。このありかたを、ここまでの論理に置き換えてみると、知識欲が内、出世欲が外と

いうことになるだろう。

2　学問の日々

排耶蘇──ハビアンとのキリスト教論争

慶長十一年（一六〇六）六月十五日、羅山は、松永貞徳の紹介により、弟の永喜（信澄）とともに、邪蘇会派の宣教師ハビアン（一五六五〜一六二一）と会見する。ハビアンなどと名乗っているが、もとは日本人の禅僧。それがキリシタンに転じ、イエズス会士不干斎巴鼻庵《ふかんさい》と称していたのである。キリスト教義を解説した『妙貞問答』を前年に執筆している。

そこで羅山は、儒学者による最初の邪蘇論を展開させ、その時のことを「排邪蘇《はいやそ》」（『羅山林先生文集』巻五十六）に著している。ここでは、「排邪蘇」を適宜引用しながら、それに注解を付け加えていく形で論述していこう。

道春及び信澄、頌遊（引用者注・松永貞徳）が价《かい》に依りて、意《おも》はざるに耶蘇会者不干氏が許《もと》に到る。不干、守長（不干が侍者）をして三人を招き室に入る。彼の徒、席に満つ。坐定まり、寒温已みて後、春（引用者注・道春、すなわち羅山）問ふに、徒斯《デイス》画像の事を以てし、彼をして之を言はしむ。対語鶻突《こつとつ》。蓋し浅近《せんきん》を恐れて之《これ》を言はず。又、彼の円模《えんも》の地図を見る。春曰く、「上下有ること無しや」。干（引用者注・不干、すなわちハビアン）曰く、「地中を以て下と為す。地上亦《ま》た天為《た》り。地下亦た天為り。吾が邦、舟を以て大洋に運漕す。東極是れ西、西極是れ東。是を以て地の円なるを知る」。春曰く、「此の理《り》不可なり。地下豈《あ》に天有らんや。万物を観るに皆上下有り。彼の上下無しと言ふが如きは、是れ理を知らざるなり」。（原漢文）

場所は、おそらく京都の南蛮寺（教会堂）。「彼の徒、席に満つ」とあり、キリスト教徒たちが多数見守る中で会見は行われた。つまり羅山たちは敵地に乗り込んでいったわけだ。「寒温已みて後」とは、時候の挨拶が済んでということ。

まず羅山は「徒斯画像」この場合はおそらくキリストが描かれた油絵について取り上げようとするが、返答は「鶻突（要領を得ない）」。次に「円模の地図（地球儀もしくは地球図）」について、「上下がないのですか」と問う。すると、ハビアンは「地中を下とすれば、地上は天であり、地下（地球の反対側にある地上）もまた天である。船で大洋を航行すると、東の果ては西になり、西の果ては東になる。このことによって、地球は丸いということがわかります」と答える。いわゆる大地球体説である。当時の宣教師たちが唱えたものだ。しかし、羅山は納得しない。「地下に天のあるはずがない。万物にはすべて上下があるのであって、上下がないなどとは理を知らない者が言うことである」と反駁する。羅山がよりどころにしているのは、儒教の「天円地方（天は丸く、地は方形）」説なのであるが、当時の日本にもたらされたのは多くが卵形の地球図だったはずだし、信長や秀吉も地球儀を所持していたので、羅山がまだそれらを理解していなかったということなのだろう。ちなみに、地動説が日本に本格的に広まるのは、寛政八年（一七九六）に刊行された『和蘭天説』という司馬江漢《しばこうかん》が著した書に拠ってである。

又、形の水晶の如くにして三角有る者を見る。目を掩《おほ》ひて物を見れば五彩を為《な》す。蓋《けだ》し稜《りょう》有るを以ての故に彩を為すなり。又、表凸《なかだ》かに裏平らかなるの眼鏡を見る。是を以て物を見れば則ち一物分かれて数物と為る。蓋し面背平らかならざるを以ての故に此《か》くの如し。凡そ斯《か》くの如き奇巧の器、庸人《ようじん》を眩惑《げんわく》すること勝《あ》げて計《かぞ》ふべからず。

地球儀

今度は「形の水晶の如くにして三角有る者」に目を転じた。これは「目を掩ひて物を見れば五彩を為す」とあるから、プリズムのようなものだろう。それから、「表凸かに裏平らかなるの眼鏡」、これは凸面鏡か。そのような器物はいずれも「庸人（普通の人々）を眩惑する」ものであると記される。もっとも、その場でそう述べたのではなく、心の中で思ったことを後日記したのかもしれない。

春問ひて曰く、「利瑪竇《りまとう》（耶蘇会者）、『天地、鬼神及び人の霊魂、始め有り終り無し』と。吾、信ぜず。始め有れば則ち終り有り。始め無く終り無きは可なり。始め有り終り無きは不可なり。然も又、殊に証すべき者有るか」。干答ふること能はず。春曰く、「天主《てんしゅ》、天地万物を造ると云々。天主を造る者の誰ぞや」。干曰く、「天主始め無く終り無し。天地を造作と曰ふ。天主を始め無く終り無しと曰ふ」。此くの如きの遁辞《とんじ》、弁ぜずして明らかにすべきなり。

いよいよ教義に関わる論争が始まった。「利瑪竇」は、マテオ・リッチ（一五五二〜一六一〇）。もとはイタリアのイエズス会士。明末の中国に渡り、中国イエズス会の基礎を築いた。その著『天主実義』は、慶長九年「既読書目」にも挙げられている。そこに「始めありて終りなき者は、天地鬼神および人の霊魂これなり」とあり、羅山はあらかじめこの書を読んで、質問を考えておいたのであろう。羅山は問う。「利瑪竇は、天地、鬼神、人の霊魂には始まりはあっても終わりはないと言うが、私には信じられない。始まりがあれば必ず終わりはあるはずだ。始まりも終わりもないというのなら、それでよい。しかし、始まりがあって終わりがないというのはおかしいではないか。何か証明できるものはあるのか」。これに対して、ハビアンは答えることができなかった。

キリスト教では、前世という考えはなく、今の世をどう生きたかによって、天国に行くか地獄に行くかが決まる。つまり、前世がなく、現世があり、来世は永遠という考え方をするわけだ。ちなみに仏教では、前世・現世・来世があって、それらが輪廻転生していく。

それに対して、朱子学では、人間の身体を構成していた「気」が散り散りになり、「魂（精神を司るたましい）」「魄《はく》（肉体を司るたましい）」が分離することをもって、死と捉える。「魂」は天に昇って神となるが、「魄」は地に沈んで鬼となり、そのうちに拡散・消滅していく。つまり、霊魂は滅亡するという考えなのである。始めがあり、終りもあるということだ（もっとも、子孫が誠意を尽くして祀ることで先祖の鬼は回帰するとも説かれる）。

ここまでを霊魂不滅に関わる論争とすれば、右に掲出した箇所の後半は、天地創造に関する論争である。

羅山は問う、「天主（キリスト教の神）は万物を造ったというが、天主を造ったのは誰なのか」と。ハビアンは答えた。「天主には始めもなく終わりもありません。」それは「遁辞（逃げ口上）」だろうというのが羅山の感想である。なお、これも『天主実義』に「万物すでに生ずるところの始めあり、先生これを天主といふ。敢へて問ふ、この天主は誰によりて生ずるか。（中略）天主は始めもなく終りもなく、しかも万物の始めたり、万物の根柢たり」とある記述によっている。羅山の問もこれを予習したものであり、ハビアンの答もこれに基づいているわけである。

このあともいくつか議論は続くが、貞徳が笑って、「問は高尚だが、答は卑い。ハビアンが理解できないのももっともだ」と言い出した。

春、事有りて坐を起つ。時に暴雨疾雷。干、大いに悦ばずして曰く、「儒者の所謂《いはゆる》太極《たいきょく》は天主に及ばず。天主は卿曹《けいさう》弱年の知る所に非ず。我能《よ》く太極を知る」と。信澄曰く、「汝狂謾《きやうまん》なり。太極は汝が知るべき所に非ず」。干怒りて口を杜《と》づ。時に春、坐に復《かへ》りて曰く、「凡そ義理を言ふは、則ち彼に益有らずんば、必ず此《これ》に益有り。若《も》し勝つことを争はば、則ち忿怒《ふんぬ》の色、嫉妬《しっと》の気、面に見ゆ。是れ心術を害する一端なり。之を慎めや」。天晴るるに及びて帰る。干、出でて拝し送る。

羅山が中座した時に、激しく雨が降り、急に雷が鳴り響いた。ハビアンは不快なさまを露わにし、「儒者が言う太極（宇宙の根本原理をさすことば）は、天主には及ばない。天主のことは、おまえたちのような若い者にはわからない。私は太極についてはよく知っている」と叫んだ。永喜は怒って、「あなたはとても傲慢だ。太極について何も知らないくせに」と言い返す。ハビアンは怒り、黙ってしまった。羅山も戻ってきて、「そもそも議論する時は、向こうに利益がないなら、こちらに利益があるはずで、勝ちを争って、忿怒の色、嫉妬の気が顔に出るようでは、心をきちんと制御できていないということだ。慎みなさい」と言った。空も晴れたので、羅山ら三人は帰ることにし、ハビアンは外にまで出て、拝して見送った。

これは、羅山の著した文章なので、かなり彼に有利なふうに書かれていることは間違いないが、当日の雰囲気や議論の内容をある程度正確に伝えてはいるだろう。器物と教義の両方にわたって、キリスト教のありかたをなんとか論破しようとする羅山の強い意欲が伝わってくる。

そもそもキリスト教が日本に伝来するのは、天文十八年（一五四九）、フランシスコ・ザビエルによってであったわけだが、そののち天正十年（一五八二）に大友義鎮《よししげ》・有馬晴信・大村純忠《すみただ》が少年使節をローマ教皇とスペイン国王に派遣する（天正遣欧使節）などの蜜月時代を経て、やがて排除されるようになっていく。この羅山とハビアンの会談があった六年後の慶長十七年、幕府の領地内において禁教令が出され、翌年にはそれが全国に及んでいる。理由としては、スペインやポルトガルの侵略を恐れたこと、信徒が団結して幕府の政策に従わないのを嫌ったこと、などが指摘される。さらに二十数年後、寛永十四年（一六三七）には島原の乱が起こり、同十六年にはポルトガル船が来航禁止となり、同十八年にはオランダ商館が出島に移され、鎖国の状態になる。

羅山の「排耶蘇」は、時期的には、キリシタン弾圧を先取りしたかのような議論を展開していることになる。しかし、彼自身の意識としては、それが幕府の政策とどう関わるかというようなことではなく、むしろ彼が信奉する儒教が他の宗教に対してどのような価値を持っているのかを確かめたいという、二十四歳の若者としての意気込みに拠るところが大きかったのではないかと想像される。

なお、この二年後に、ハビアンは棄教してしまい、元和六年（一六二〇）には『破提宇子《はだいうす》』という、キリスト教批判の書を著し、翌年没する。この書は、イエズス会側によって「地獄のペスト」と忌み嫌われた。また、その後の日本においてキリスト教が排斥される際に持ち出されるものとなった。

儒仏論争——松永貞徳との間で

キリスト教との論戦以外にも、仏教との戦いが待っていた。ハビアンとの排耶蘇論争の時に同道してくれたのは、古典学者・歌人として知られた松永貞徳だったが、じつは貞徳は熱心な日蓮宗の在家《ざいけ》信者だったのである。その彼との間に、慶長十二年頃、儒教と仏教の優位性をめぐる論争があった。

羅山が十八項の問いを提出し、貞徳がそれに答え、最後に貞徳が論点を要約するという内容の、『儒仏問答《じゅぶつもんどう》』という書が今日残されている。「排耶蘇」のところでも述べたが、二十代の頃の羅山は、とにかく儒教がどのような意義を持っているのかを確かめるため、他の宗教と論争を挑んだということなのだろう。しかし、ハビアンと違って、今度は論理力もある強敵である。

前田勉氏は、この論争における羅山の重要な論点を、次のようにまとめている。

第一は仏教経典の神聖性への懐疑、第二には仏教の出世間《しゅっせけん》性への批判、そして第三に三世因果説の否定である。（『羅山・貞徳『儒仏問答』註解と研究』）

このうち、第二・三点目が大切だと思うので、それぞれについて、急所と思われる箇所を引用しておきたい。まず、仏教の出世間性について。つまり、儒教が現世でのありかたを問題にするのに対して、仏教では現世すなわち俗世を捨てて出家し、来世での極楽往生を願う点が批判の対象となる。羅山は問う。

夫婦の道なくは、一天下の間に、男は皆々出家して僧になり、女は又尼になりて後、天地の中に、人一人もなくて可レ然《しかるべき》か。（第十五件）

もし、世の中の男がすべて出家してしまい、女がみんな尼になってしまったら、子どもを産むということがなくなってしまい、人間が一人もいなくなってしまうではないか。そう問いかける時の羅山の脳裏には、建仁寺から脱出した時の自己の思いが投影されているだろう。これに対する貞徳の答はいかにももっともで、以下の通りである。

さやうに云《いふ》とて、無辺《むへん》の衆生が皆聞《きき》分て、一度に僧になる事もなき物也。たとへば、儒門の勧学の文にも、学文《がくもん》せざる者をいさめて、草木よりもをとり、糞土《ふんど》よりもいやし、たゞ物よめとあらずや。其ごとく人毎に、学文にかゝりてをらば、田を作《つくる》者、人につかはるゝ者の類《るい》なくなりて、儒者のみ国に満《みち》なんと、そしりをなすに同じ。それは僧になるべき者にすゝむる詞なり。

つまり、仏教では、出世間を尊び、僧になることが大事だとされているにしても、すべての人がそうなる必要はない。儒学だって、すべての人が学者になる必要はなく、田を耕したり奉公する人も必要ではないか、という反論である。これに引き続いて、女人は修行の妨げとなるので、僧は独身である必要があるとも述べられている。

つづいて、もう一点の三世因果説について、羅山と貞徳の問と答としては次のようなものに代表されよう。

> 畢竟《ひっきゃう》仏氏、不レ知二陰陽開闔《かいかう》変《へん》化《げ》聚散《しゅさん》之理を一なり。何を以てか足《たランヤ》二与言《ともニいフニ》レ道《ヲ》哉。（羅山）
>
> 儒者こそ無常変易の世に生れて、自然《しぜん》生《しやう》と思ひ、三世の有《あ》る事をしらず、一生を妄念にて送れ。因果を感じて、流《る》転《てん》尽《つく》る事なけん。（貞徳）（第十八件）

「陰陽開闔変化聚散之理」とは、物事が変化していく道理。それを知らない仏教徒とはともに語ることができないとし、物事の根本を司る理を理解し、そのために事物のありかたをよく見極めないといけないとする。それに対して、仏教では「無常変易の世」であることを肯定しており、前世・現世・来世という三世の流転を前提に教義を形作っているので、変化はよく理解している。儒者こそ前世を認めず、現世に自然に生まれたなどと考えるので、かえって流転が尽きないのだと反論する。

全体に、どちらの論理が特に優勢ということはない。貞徳はハビアンに比べてはるかに強敵だったと言ってよいだろう。そして、儒教台頭の兆しがあるとは言っても、この時代にはまだ仏教が大きな存在意義を有していたことも確かなのである。こののち儒教が有力な社会になっても、仏教の影響力も存続していく。それだけ仏教も日本人の生活に根付いていたのである。

『延平答問』

慶長十一年八月には、和歌山城主浅野幸長（一五七六～一六一三）の招きによって紀伊に赴く藤原惺窩から『延平答問《えんぺいとうもん》』という書を授かった。慶長九年の「既読書目」にすでにこの書の名が見えるので、羅山としては初めて読むわけではなかったが、同書の授与には惺窩にとって特別の意味があったと思われる。

『延平答問』は、朱熹がその師の李侗（一〇九三～一一六三。延平先生と称された）とやり取りした書簡をその内容とする。この時、朱子学者にとって重要な書を惺窩が授けたのは、羅山を大切にすべき教え子として認識していたからに他ならない。そして、この書においては、特に以下の一節が注目されるのである。

胸中洒落《しゃらく》なれば、即ち作為尽く洒落なり。学ぶ者此に至るは甚だ遠しと雖も、亦た常に此の体段を存して胸中に在《あ》らしめざるべからず。（原漢文）

ここで言う「洒落」とは、物事に深く執着せず、精神や行動がさっぱりしていること。そもそもは朱子学の成立に大きな影響を及ぼした周濂渓《しゅうれんけい》（敦頤《とんい》、茂叔。一〇一七～七三）の人品を評したものだった。太田青丘氏によれば、惺窩はこのことばを非常に好んで使った。この時も、『延平答問』を羅山が読み終えたと聞くと、羅山に宛てて書簡を認め、あなたにとってのみならず自分にとっても実に幸いなことで、かつ万民にとっても幸いだとまで述べて喜び、「体認涵濡《かんじゅ》（引用者注・恩恵を受ける）して以て洒落に至らん」（『惺窩先生文集』巻十二）と記している。羅山にもこの境地を体得してほしいという願いが惺窩には強くあったのであろう。

ただ、羅山がそれを実行できたかというと、難しかったのではないだろうか。羅山の場合には、よかれあしかれ「さっぱりしている」という感じではない。むしろ徹底的に執着して、なにかを追い求めていくところに、この人の特徴があったと思われる。惺窩と羅山はやはり相容れないものを根本に抱いていたと言えるだろう。

ところで、この「洒落」ということばと、江戸時代に流行った「洒落《しゃれ》」ということば（たとえば遊里を題材にして会話体を用いて写実的に描く江戸小説を洒落本と言う）はどのような関係にあるのだろうか。やや脇道にそれるが、少しだけ言及しておこう。

「しゃれ」の語源は、日光や風雨に晒されるという意味の「され（晒れ）」と、戯れるという意味の「され（戯れ）」から来ており、これらから、洗練されたとか風流だという意味の「しゃれ」ということばが室町時代以降成立する。さらに濁音化されて「ざれ」「じゃれ」となる。一方、漢語「洒落」は古い例として、室町時代の『中華若木詩抄《ちゅうかじゃくぼくししょう》』に「三四の句まことに等閑もなき、洒落なる体也」とある。また、当該の『延平答問』に基づいて惺窩が好んで用いたことは先に述べた通りである。「しゃれ」と「洒落」の語義が近いこともあって、江戸時代初期に「しゃれ」に「洒落」が当てられたと考えられている。

なお、芭蕉（一六四四～九四）判の『田舎之句合』の嵐雪《らんせつ》序に「桃翁（引用者注・芭蕉）栩々斎《くくさい》にゐまして、為に俳諧無尽経をとく。東坡《とうば》（引用者注・蘇東坡。蘇軾）が風情、杜子（引用者注・杜甫）がしやれ、山谷（引用者注・黄山谷。黄庭堅）が気色より初めて、其躰幽《かすか》になどらか也」とあったり、また芭蕉門の洒堂（当時は珍碩）の住居「洒落堂」について芭蕉が俳文をものしたりと、芭蕉に関係するところでも、このことばが用いられている。中世的世界への回帰を俗語を用いつつ果たそうとして、俗塵から距離を置こうとした芭蕉ら一門の方が、羅山よりずっと惺窩の探究する世界に近いところにあったと言えるのかもしれない。

『本草綱目』

慶長十二年（一六〇七）、二十五歳の時、羅山は長崎へ旅行して、『本草綱目《ほんぞうこうもく》』を購入し、家康に進献した。

著者の李時珍《りじちん》（一五一八〜九三）は、明末の博物学者。この書は、約一九〇〇種の生薬を動植鉱物といった分類によって十六部に分けて解説したもので、漢方薬に関する最高の書と言ってもよいだろう。同書は、万暦二十四年（一五九六）頃に刊行された。慶長九年の「既読書目」にも載っており、羅山は刊行から十年も経っていない、きわめて早い時点で閲読したことになる。

『本草綱目』の特徴の一つとして、非常に博物学的傾向が強いことが指摘されるが、そのため格物《かくぶつ》窮理《きゅうり》を目指す朱子学者にとって、格好の研究対象として捉えられたのである。格物窮理とは、事物の理を究明して、万物の理、宇宙の本体を理解しようとすることで、格物致知とも称した。つまり、物の特質を精緻に分析することが世界の根本原理を知ることにつながるという思想なのである。さまざまな事物の特徴を明らかにした『本草綱目』を繙くことは、世界の深遠へと分け入っていく道だっ

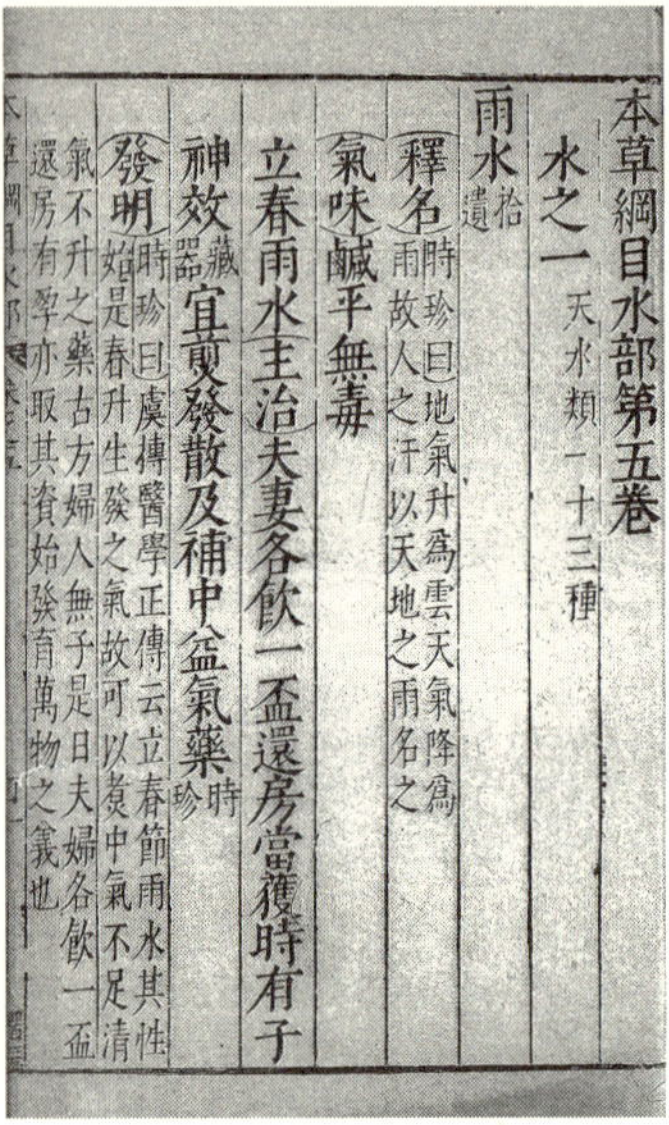
本草綱目水部第五卷
水之一 天水類一十三種
雨水 拾遺
釋名 時珍曰地氣升爲雲天氣降爲雨故人之汗以天地之雨名之
氣味鹹平無毒
立春雨水主治夫妻各飲一盃還房當獲時有子神效 藏器 宜煎發散及補中益氣藥 時珍
發明 時珍曰虞摶醫學正傳云立春節雨水其性始是春升生發之氣故可以煮中氣不足清氣不升之藥古方婦人無子是日夫婦各飲一盃還房有孕亦取其資始發育萬物之義也

『本草綱目』

た。もともと知識欲の旺盛だった羅山にとって親しみを持てる方法論と言えるだろう。

晩年の家康が学問全体に興味を抱いたことは先にも触れたが、医学や本草学も例外ではなかった。それはやはり自身の健康問題と関係があったろうし、家康の健康は幕府の存亡とも直結していたであろうから、切実さも並大抵ではなかったろう。

『多識編』

その『本草綱目』から、羅山が見出し語や関連語を抜粋して和訓を施したのが、『多識《たしき》編《へん》』である。慶長十七年、『本草綱目』を購ってから五年後に完成している。

いわば『本草綱目』を読むための参考図書として編まれたわけだが、なかには『本草綱目』に見えないものもあり、羅山が拠った書はさらに広範囲にわたっていたと考えられる。これは私の想像だが、『本草綱目』を家康に進献した時に、この書をただ漫然と読むだけでは普通の人には意味が取れないと感じたのではないだろうか。そこで、辞書のようなものを作ろうとしたのだと思う。そのように工夫してわかりやすくする行いは、いかにも羅山らしい。

一例として、『多識編』の冒頭部分を挙げておく。本文は、寛永八年（一六三一）刊行の『新刊多識編』を用いた。

雨水　下《ア》米《メ》今《イマ》案《アンズルニ》阿《ア》末《マ》美《ミ》豆《ヅ》　梅雨水　牟《ム》米《メ》乃《ノ》阿《ア》米《メ》今《マ》案《ニ》豆《ツ》由《ユ》　立春雨水　今案《ニ》波《ハ》留《ル》多《タ》豆《ツ》比《ヒ》乃《ノ》阿《ア》米《メ》　黴《バイ》雨　入梅《ニフバイ》　出《シュツ》梅　迎《ゲイ》梅雨　送梅雨　今案《ニ》左美《ミ》多《ダ》礼《レ》　液雨水　今案《ニ》志久《グ》礼　入液《エキ》　出液《キ》

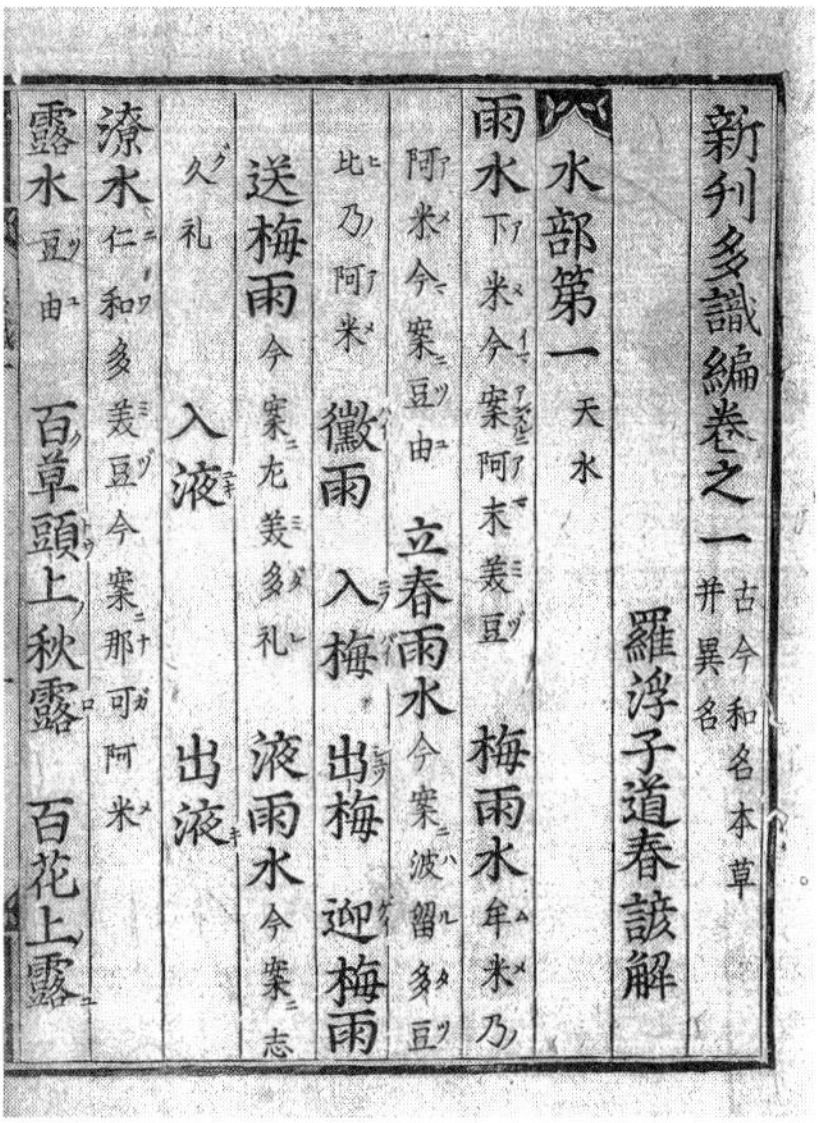
新刊多識編巻之一　羅浮子道春諺解
古今和名本草并異名
水部第一　天水
雨水　下米今案阿末美豆　梅雨水　牟米乃阿米今案豆由　立春雨水　今案波留多豆比乃阿米　黴雨　入梅　出梅　迎梅雨　送梅雨　今案左美多礼　液雨水　今案志久礼　入液　出液　潦水　仁和多美豆今案那可阿米　露水　豆由　百草頭上秋露　百花上露

『新刊多識編』

「雨水」という見出し語に対して、関連語が列挙され、それらが和語だとどういう意味になるのかを注記している。まさに羅山の博覧強記が遺憾なく発揮された内容だと言えるだろう。『本草綱目』では「雨水」が親見出し、「立春雨水・梅雨水・液雨水」が子見出し、「黴雨・入梅・出梅・迎梅雨・送梅雨・入液・出液」は説明文の中にある。羅山が重要度に応じて適宜抜き出して、配列したわけだが、このように多量な情報の中から大事なものを取り出し、多くの人にとって利用しやすいように並べ直すというような作業は彼の得意とするところである。後でも触れるが、総合性・実証性・啓蒙性とでも言うべき羅山の能力はこののちも随所で発揮されることになる。

この『多識編』には、八木清治氏も指摘するように三つの意義があると言えるだろう。

一つは、江戸時代に発達する本草学の基盤作りをしたということ。

もう一つは、やはり江戸時代に発達する百科事典類（最も代表的なものは『訓蒙図彙《きんもうずい》』『和漢三才図会』）成立への道筋を作ったということ。中村惕斎《てきさい》『訓蒙図彙』（寛文六年〈一六六六〉刊）の凡例には、「引証之図書」として「源氏が和名集を以て本と為し、林氏が多識編を以て之に継ぐ」（原漢文）とあり、平安前期の代表的な漢和辞書『倭名類聚抄』（源順《したごう》著）と並んで、『多識編』を重要視していることが知られる。

さらにもう一つは、この書が一般的な漢和辞典としての性格も併せ持っており、江戸時代に作られる辞書の基礎を作り上げていること。永井如瓶子『邇言便蒙抄《じげんべんもうしょう》』（天和二年〈一六八二〉刊）の「山茶《ツバキ》《サンサ》」の項目では、「多識篇に見えたり。順和名には椿《シュン》の字をよませり。又海石榴《ツバキ》《カイセキリウ》とも書也」として、やはり『倭名類聚抄』とともに取り上げられ、「胡葱《アサツキ》」の項目では「多識篇に見えたり。また順和名には嶋蒜とかきてあさつきとよませり」とあり、同様である。

理気不可分論の摂取

羅山は、朱熹の考えに傾倒し、逆に王陽明を嫌っていた。もともと中国でも、朱熹と王陽明は対立的な関係にあったことは先に述べた通りである。

ところが、羅山は理気不可分論についてだけは、王陽明を支持していた。朱熹は、理と気は分けられると考える。しかし、王陽明は分けられないとしていた。『羅山林先生文集』巻二の「田玄之に寄す」（角倉素庵に宛てた書簡だが、実際には藤原惺窩に宛てたものだった）の中で、羅山は、

太極は理なり。陰陽は気なり。太極の中、本《もと》陰陽有り。陰陽の中も亦た未だ嘗《かつ》て太極有らずんばあらず。五常は理なり。五行は気なり。亦た然り。是を以て或いは理気分かつべからざるの論有り。勝（引用者注・信勝。羅山のこと）其の朱子の意に戻《もと》るを知ると雖も、而も或いは強《し》ひて之を言ふ。

（原漢文）

と述べている。万物は一体で、根本原理の理とそこから派生する具体的な気の間に区別は付けられないというわけだ。これには、惺窩も同意している。

また、『羅山林先生文集』巻六十八「随筆四」に次のようにあり、

理気は一にして二、二にして一、是れ宋儒の意なり。然《しか》も陽明子が曰く、「理は気の条理、気は理の運用」と。之に由りて焉《これ》を思へば、則ち彼（引用者注・朱熹）支離の弊有り。後学に由りて、起こるときは、則ち右の二語、此を捨てて彼を取るべからざるなり。之を要するに、一に帰するのみ。

惟《ただ》、心の謂ひか。

やはり理気不可分論を支持している。

そして、この「心」を重視する考え方は、羅山独特なものであり、また日本人的なものであるとする中国哲学の研究者溝口雄三氏の指摘がある。溝口氏が相良亨氏との対談の中で、わかりやすくそのことを語っている部分を以下に引こう。

たとえばこの間ある雑誌に「中国思想の受容について」(『日本の美学』第九号、一九八六年)というテーマで書かされまして、この機会に以前から気になっていた、羅山のものを読んだのですけれども、たとえば朱子の「仁は愛の理」というのを引っ張りまして、「仁ハ人ヲ愛スル理ナリト云ル心ゾ」というのです。「理なりといえる心ぞ」などというのは、中国語にならないのですよ。松永尺《せき》五《ご》にも「愛ノ理ト云心」といういい方がありますがね。要するに、愛の理がはたらいている心じゃあないんですか、これは。どうも読んでいくと、『三徳抄』にしましても『春鑑抄』にしましても、それから羅山文集を見ましても、いちばん肝心なところではすっと「心」にいくようで、日本思想の方は見逃してしまわれるかもしれませんが、われわれが見るとびくっとするような……。

(『中国思想のエッセンスⅠ　異と同のあいだ』)

私なりの理解では、中国的な発想の根本には、骨格のある構造的な世界観があり、それはきわめて理知的であるのに対して、日本的なそれはより情動的であり、理性の枠組みが緩い、ということだと思う。

第四章　秀忠の時代——安定

1　惺窩の死まで

堀勇雄氏によれば、家康没後の秀忠将軍時代、羅山は不遇であったという。家康の時代にはお側近くに侍る機会がしばしばあったものの、秀忠の時代になると書籍について進講することもほとんどなくなってしまったというのがその根拠である。たしかに羅山は家族の住む京都にいることも多かった。

羅山と永喜

もっとも、弟の永喜《えいき》は秀忠の側近として仕えていたので、林家全体として将軍から見放されてしまったというわけではなかった。また、堀氏の述べるように、秀忠からすれば、父の家康に仕えた羅山より、最初から自分に仕えた永喜の方が用いやすかったのであろう。

秀忠の時代は、堀氏の指摘する通り、羅山は「不遇」「雌伏」の時代だったという面もあったかも

徳川秀忠

しれない。しかし、家族の結束が殊の外強かったこの家のありかたからすれば、弟が秀忠に仕えていることはきわめて心強いことだったに違いないし、家康に自分が用いられたことで将軍への仕官が叶い、今度は弟が秀忠に取り立てられたという、事の成り行き自体には、羅山もある種の達成感を感じていたろう。つまり私が言いたいのは、近代的な一個人としてはたしかに「不遇」「雌伏」と感じるような状況であっても、羅山からすればそこまで自己評価を低く見ていなかったのではないかということである。そのため、第四章の副題は「安定」とした。

『丙辰紀行』

元和二年（一六一六）十一月、駿河御文庫の分割を終えて、羅山は江戸から京都へ向けて旅に出た。その頃、羅山の妻や息子たちは京都に移り住んでいたからである。この時成ったのが、『丙辰《へいしん》紀行《きこう》』という紀行文であり、寛永十五年（一六三八）に刊行された。同二十年に成立する『癸未《きび》紀行』（正保二年〈一六四五〉刊）とともに、羅山の代表的紀行である。

「武蔵野」から「大津」に到るまで、その地の歴史や伝説、風景などを和文で記したのち、漢詩が掲げられる。

まだ家康の死から半年あまりしか経っていないせいか、そのことを嘆き悲しむ表現も時折見られる。たとえば、家康が鷹狩を行っていた中泉《なかいずみ》（現在の静岡県磐田市）では次のような一首を詠んでいる。

春蒐冬狩跡猶遺　春蒐《しゅんしう》　冬狩　跡　猶《な》ほ遺る
霜露凄々野草衰　霜露凄々《せいせい》として　野草衰ふ
鴻雁自来還自去　鴻雁は自ら来り　還りて自ら去る
更無人放決雲児　更に人の決雲児《けつうんじ》を放つ無し

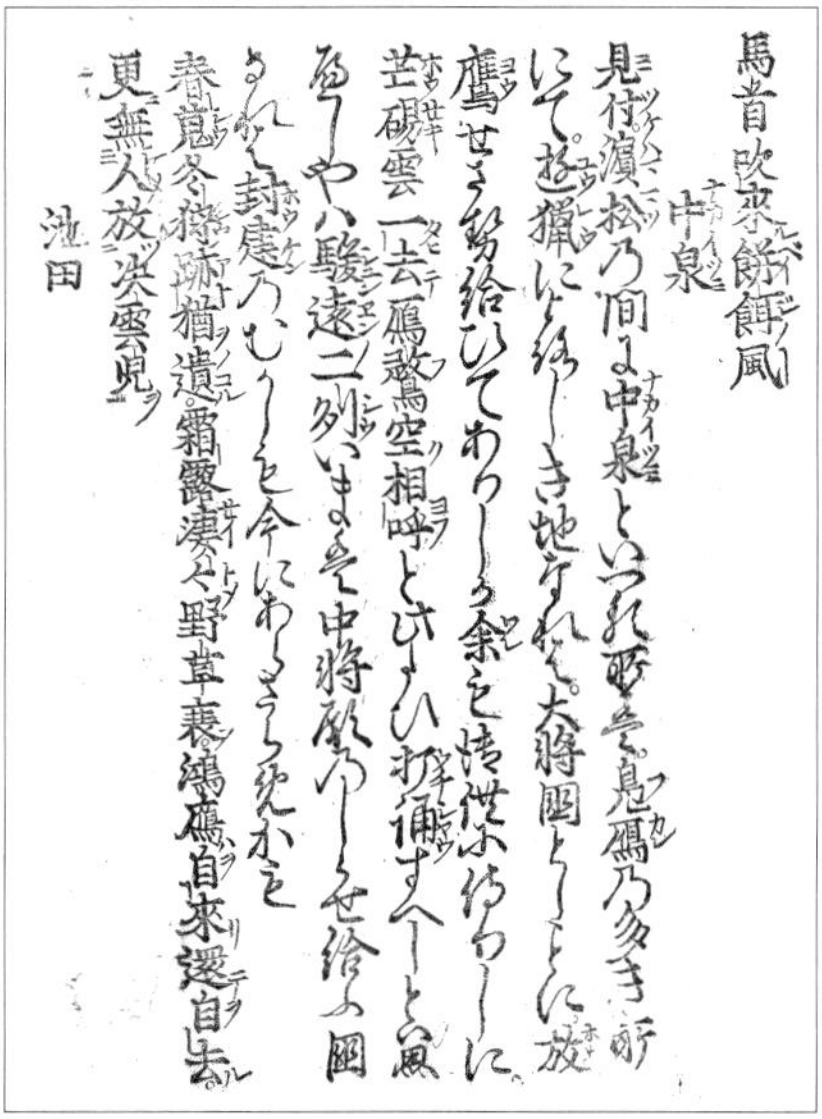

『丙辰紀行』

「蒐」は春の猟、「狩」は冬の猟。「鴻雁」は雁、「決雲児」は鷹。一首の意は以下の通り。家康公が行った春冬の狩猟の跡はまだ残っているが、霜露によって冷たくものさびしいので、野の草々は衰えてしまった。秋にやって来る渡り鳥の雁は自然に来て、そして自然に帰る。しかし、もはや人間が鷹を放って猟をする

『東海道名所記』庄野

ことがないのは残念なことだ。家康が鷹狩を好んだのはよく知られており、羅山の脳裏にもそのことが強くあったのだろう。

その一方、『丙辰紀行』には、きわめて記録性の強い、いかにも江戸時代らしい内容も含まれている。そのことを、板坂耀子氏は、従来の紀行文が「私的で主情的な旅人の慨嘆を主調とする」のに対して、「資料や情報の宝庫として客観的に旅先の土地を観察する新しい紀行の方向が生まれる」機運が時代全体としてあり、そのような特質がこの紀行にも見受けられるというように指摘している。一例として、庄野《しょうの》（現在の三重県鈴鹿市）における記述を挙げておこう。

石薬師の西、亀山の東に庄野あり。此所の民家に火米《やきごめ》をちいさき俵に入て、毎戸ならべてをく。其俵の大さこぶしのごとく、又は槌《つち》のごとくなるもあり。輪子《りうご》のせいに包み縛《ゆは》へてあるを、旅人買とりて家づとにすといふ。

庄野の名物、俵の焼米について、小さい俵に入れ、家ごとに並べて売っていて、大きさは握りこぶしくらいで、あるいは槌のようなものもあり、輪子（中央がくびれた、鼓の胴のような形の物で、曲芸に用いる）の形に似ており、旅人が土産として買っていくということが述べられている。簡潔で、かつ要点をよく摑んだ記録文と言えるだろう。ドナルド・キーン氏も、『丙辰紀行』を「東海道をゆく旅人に売る代表的な『お土産』について記した、おそらく最初の日記ではなかったろうか」として、この庄野の場面を挙げている。

ところで、羅山が『丙辰紀行』を著してから約四十年後、仮名草子作者として有名な浅井了意《あさいりょうい》の『東海道名所記』（万治〈一六五八～六一〉年間刊）が、これとそっくりな記述をしているのである。羅山とほぼ同じ箇所に傍線を付した。

この宿の名物は、俵の焼米なり。その俵のなりは、大さ、にぎりこぶしほど也。青き緒《を》にて編《あみ》たる小俵也。中を、また青き緒にてつよくしめたれば、輪鼓《りうご》のかたちに似たり。内に火米すこしあり。家ごとにならべをきて、売けり。往来の旅人、買もとめて、国もとの息子・孫どもに土産とて、とらするぞかし。

こうしてみると、了意が新たに付け加えたのは、「俵の焼米」という命名と、青いひもで強く結んであるということくらいなのである。羅山の文章は、後世の人々によって、このように利用されることがしばしばあった。この点についてはさらに後述するが、その理由としては、羅山の観察力がすぐれており、的確に物事の本質を捉えられるということが指摘できるだろう。先に、客観的に事物を記録するのはこの時代の紀行文の全体的な傾向だと指摘したが、それだけではなく、羅山個人の好奇心の旺盛さ、観察の鋭さ（それは朱子学者としての格物窮理の姿勢に関わるものでもあった）はやはり飛び抜けていたと思う。だからこそ、『東海道名所記』も、文章までそっくり下敷きにしたのである。

『老子鬳斎口義』を読む

元和四年（一六一八）、三十六歳の正月に、羅山は『老子鬳斎口義《ろうしけんさいくぎ》』に訓点を施している。『老子』は儒教の経典ではないから、やや違和感のある行為と思われるかもしれない。

しかし、池田知久氏が指摘しているように、室町時代の五山僧たちは、そもそも儒教や老荘思想に親しみの気持ちを抱いていた。五山禅林から学問を出発させた羅山には、老荘に関心を持つ素地がもともとあったのである。

それまでの日本では、『老子』を読む際には、漢の河上公の注釈を用いることが当たり前であった。しかし、羅山はそうではなく、林希逸の『老子鬳斎口義』を用いたのである。というのも、『老子鬳斎口義』には、『老子』がむしろ儒教に近いという主張が見られたからなのである。儒教の経典の引用も多い。

そして、羅山の『老子鬳斎口義』受容を契機として、江戸時代には同書が圧倒的に老子注釈の書と見なされるようになる。こういったところにも、時代の始まりにあって、その後の思想の方向性を決定付けていくという、羅山の先駆的意義を認めることができるだろう。

ちなみに、羅山は『老子』のどのような点を評価していたのだろうか。

慶長年間（一五九六～一六一五）に著された、羅山の「随筆二」第四十六条（『羅山林先生文集』巻六十六）には、

其の（引用者注・『老子』の）文章に於いては則ち簡にして隠、吾取ること有り。其の聖を絶ち智を棄て仁を絶ち義を棄つる、則ち吾取ること莫し。（原漢文）

とあって、「簡にして隠」、すなわち簡略な中にも目立たないすぐれた論理が見られるとし、さらに同四十七条では、

老荘無くんば則ち亦た何ぞ道徳の良林為《た》ること有らんや。吾、材を取る所有らんと。


と述べている。「道徳の良林」とは内容的な賞賛であり、また文章を書く上で引用すべきよいことばがあるとも続けている。そのような評価によって、羅山は『老子』の世界へ分け入ったのである。

なお、大野出氏によれば、羅山の『老子』観は、寛永二～八年（四十三～四十九歳）を境に、限定的なものから積極的なものへと移行した。それは、羅山が儒学者としての地位を確立し、対立や排他の

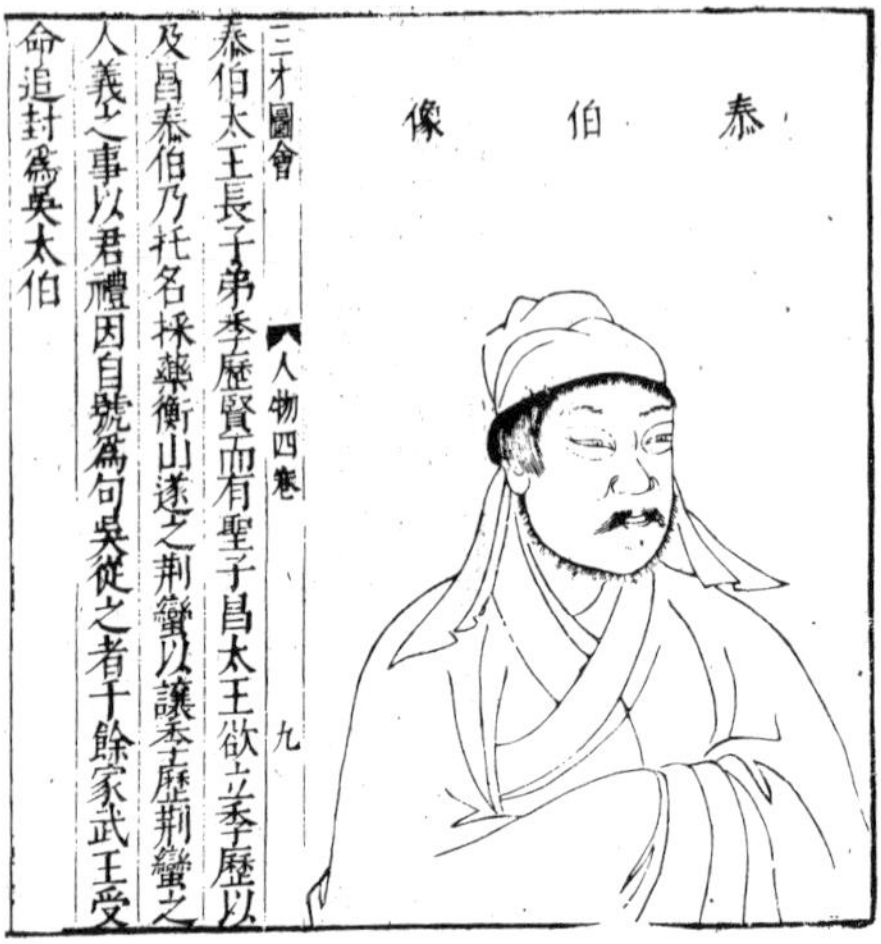

『三才図会』泰伯

意識が薄れたことと関わりがあると大野氏は指摘している。ちなみに、羅山が民部卿法印になるのが寛永六年、先聖殿を建設したのが寛永九年である。

泰伯皇祖説

元和四年、羅山は「神武天皇論」「綏靖《すいぜい》天皇論」「懿徳《いとく》天皇論」「孝《こう》霊《れい》天皇論」「開化天皇論」を著した。「按ずるに、先生常に国史を修せんと欲するの志有り。試みに此の論を作る。然るも、文献足らず。且つ宇多・醍醐以後実録無くして稗史《はいし》小説の記する所、疑ふべき者の多し。未だ討論に遑《たくま》しうあらず。故に其の志遂げずして罷《や》みぬ」(『羅山林先生文集』巻二十五、鷲峰の注記)という状況であった。二十年以上を経て『本朝編年録』として結実する、その助走だったと位置付けられる。

この中で、「神武天皇論」において展開される泰伯《たいはく》皇祖説は注目すべきものと言えよう。それは、一言で言えば、天皇の祖先は、中国・呉の泰伯だという考えであった。当該の一節を引こう。

論じて曰く、東山の僧円月《えんげつ》（字は中巌《ちゅうがん》〈中略〉）嘗て日本紀を修す。朝議協《かな》はずして果たさず。遂に其の書を火《や》く。余、竊《ひそか》に円月が意を惟《おも》ふに、按ずるに諸書日本を以て呉の太伯の後と為す。夫《そ》れ太伯荊蛮《けいばん》に逃れ、髪を断ち、身を文《もど》き、交龍と共に居る。其の子孫筑紫に来る。想ふに必ず時の人以て神と為《せ》ん。是れ、天孫《あめみま》日向高千穂の峰に降《あまくだ》るの謂《い》ひか。（下略）（原漢文）

ここで言う「太伯」すなわち泰伯とは、『論語』泰伯篇に載る人物で、そこには、「子曰く、泰伯は其れ至徳と謂ふべきのみ。三たび天下を以て譲り、民得て称する無し」とある。「至徳」、すなわち最上の徳を備えた人物で、周の君主の長子であったが末弟に天下を譲ったものの、世の人はそのことすら知らなかったというのである。

「東山の僧円月（字は中巌〈中略〉）嘗て日本紀を修す」云々は、建仁寺の僧中巌円月（一三〇〇～七五）が、暦応四年（一三四一）に『日本紀』という書を著し、その中で泰伯皇祖説を支持したところ、北朝によって不当なものとされ、焼却処分になった、ということである。

「諸書日本を以て呉の太伯の後と為す」とは、すでに、中国の『晋書《しんじょ》』倭人伝や『梁書《りょうしょ》』倭伝に、日本人の先祖が泰伯であるとの説が書かれていることを指す。ちなみに、中巌円月とほぼ同時代の北畠親房の『神皇正統記』（暦応二年〈一三三九〉成立）もこの説に言及した上で、否定している。

「夫れ太伯荊蛮に逃れ」以下の部分では、泰伯が次弟とともに「荊蛮（長江の中流域の住民を侮って言ったことば）」に逃れ、その土地の風習にならって、断髪・文身《ぶんしん》（入れ墨）し、呉を建国したこと、そして、その子孫が筑紫に渡り、日本において神と崇め奉られたのが天孫降臨の実体であるということ、が述べられる。

以上をまとめると、中国の歴史書に見え、南北朝期に肯定的・批判的両様に受りとめられた、日本人の先祖が中国からやって来た呉の泰伯であるという説を、羅山はここで持ち出してきているわけである。言うまでもなく、それは天孫降臨説に対する反論でもあった。

羅山著の『梅村載筆《ばいそんさいひつ》』という随筆においても、そのことは記述されているので、羅山はかなりこだわっていたと言えるだろう。

泰伯皇祖説については、羅山の三男鵞峰や孫の鳳岡《ほうこう》、中江藤樹（一六〇八～四八）、熊沢蕃山（一六一九～九一）、木下順庵（一六二一～九八）らも支持している。一方、山崎闇斎《やまざきあんさい》（一六一八～八二）、山鹿素行（一六二二～八五）、西川如見（一六四八～一七二四）、新井白石（一六五七～一七二五）、雨森芳洲《あめのもりほうしゅう》（一六六八～一七五五）らは否定的だった。いずれにしても、羅山と同時期か少し後の人々はこの問題に非常に関心を持っていたと言える。

後代の否定派の一人、山片蟠桃《やまがたばんとう》（一七四八～一八二一）の著『夢ノ代』神代第三から、批判している部分を引いてみたい。

天照大神ヲ呉ノ泰伯ト云コト、【林氏（引用者注・羅山）コレヲ取ル。ソノ証トスル処ミナ無稽《むけい》ナリ。】無稽ノコトニテ、論ズルニ足ラズトイヘドモ、近年コノ説ヲ主トシテ書ヲツクル人モアレバ、弁ゼズンバアルベカラズ。【ミノ、国クロ滝ノ潮音《てうおん》ナルモノ、真ノ旧事紀《くじき》也トノ、シリテアラハス処ノ書、呉ノ太伯トス。】一ヲ以テ知《しる》ベシ。泰伯スデニ文字ヲシル。日本ニ渡リテ国ヲヒラクモノナラバ、何ゾ文字ヲヒロメザルヤ。天下ノアラハル、ハ文字ニヨル。文字ヲシリテノチハ、イカニ韜晦《とうくはい》ストモ得《う》ベカラズ。殊ニシラズ、史記ニ「泰伯死シテ子ナシ。弟虞仲《ぐちう》継グ」と呉ノ世家《せいか》ニクハシキヲヤ。

「潮音」は、上野国甘楽郡大塩沢の黄檗《おうばく》宗黒滝山不動寺の僧侶。『先代旧事大成経』という偽書を出版した人物である。蟠桃が否定する根拠は、大きく二つあって、この時期中国には文字があったので、中国から渡来してきて日本人の祖先になったのなら、文字も同時に伝えたはずなのに、実際にはそうではないこと、また『史記』に泰伯は子がいなかったと記述されていること、である。

羅山はどうして、この説に固執したのだろうか。二つの点からまとめておきたい。

一つは、中国に対する日本の優劣の問題である。日本人として儒学を学んでいる以上、このことを避けては通れない。そして、中国人が日本人の祖先であるという考え方を支持するのは、中国を日本の上位に置こうとする劣位の意識が表れたものと見なすことができる。中華思想、華夷思想を肯定し、対して日本は夷狄《いてき》であるとする。

もっとも、それだけではなく、むしろ中国の権威を借りて日本の地位を相対的に上昇させたいという願望もあったのかもしれない。

自分の信奉する中国の学問をもってして、初めて日本人としての自己確認ができるという、逆説的な立場がそこにはある。

もう一つは、日本の開国神話に関する、儒学者としての疑義である。天地開闢《かいびゃく》、天孫降臨という神話を信じるのではなく、日本の国の始まりは中国大陸から人間がやって来たというように考える方が、論理的である。朱子学の世界観が本来持っている合理性が発揮されたという捉え方もできるように思う。

どちらが重いということでもなく、右の二点が相俟って、羅山を泰伯皇祖説に導いたと考えておくことにする。

藤原惺窩の死

元和五年（一六一九）九月十二日、羅山三十七歳の時、藤原惺窩が没した。享年、五十九歳であった。同年春には、羅山に「夕顔巷《せきがんこう》の詞」（『惺窩先生倭謌集』巻五）を与えており、両者の交流は惺窩の没する直前まで継続していた。

羅山の追悼詩のうち一首は、次のようなものである。

敬《つつし》みて北肉滕先生を悼む　元和五年九月九日の朝、中風《ちゅうふう》にて音を失ひて語らず、十二日の朝、
遂に逝去す

只恐天将喪此文　只《た》だ恐る　天将《まさ》に此の文を喪《ほろぼ》さんとすることを
自今謦咳不能聞　今より　謦欬《けいがい》　聞くこと能はず

（原漢文）

光風一夜秋風夢　　光風　一夜　秋風の夢
月隠中庭草樹雲　　月は隠る　中庭　草樹の雲

（『羅山林先生詩集』巻四十）

心配しているのである、天が儒学を滅ぼそうとしているのではないかということを。今からのち先生が談笑なさるところを聞くことはできないのだ。心が清らかに澄んだお姿は、一夜のうちに秋風に吹かれて夢のようにはかなく亡くなられてしまい、月も中庭の草木が茂っているあたりにかかる雲の中に隠れてしまった。

「光風霽月」で、心が清らかで澄み切ったさまを言い、ここでの「光風」「月」は惺窩を譬えている。先に述べた「洒落」の語が載る『延平答問』の当該箇所の直前にも「周茂叔、人品甚だ高し。胸中洒落、光風霽月の如し」とある。

高橋睦郎氏は、この詩について、「いささか紋切り型」で、「羅山その人は政儒としては有能だったのだろうが、しみじみとした詩心の持ち主ではなかった」と辛口に評しているが、転・結句について、日本古典文学大系第八十九巻『五山文学集　江戸漢詩集』の頭注では、「含蓄と詩趣と豊富」と評価している。

2　学芸にいそしむ日々

『棠陰比事』に訓点を施す　元和五年には、朝鮮版の『棠陰比事《とういんひじ》』を原本として、羅山が写本を制作し、野間玄《のまげん》琢《たく》・菅玄同《かんげんどう》・金子祇景・角倉素庵ら門人たちの要請により、さらに読み下し、それによって訓点が施された。これが、日本における本格的な『棠陰比事』訓読の始まりと言える。『棠陰比事』は、中国の裁判実例集。南宋の桂万栄が著した。「棠陰」とは、裁判所のこと。江戸時代には、井原西鶴の『本朝桜陰比事』（元禄二年〈一六八九〉刊）をはじめ、さまざまに受容されている。羅山は、その先鞭を付けた人であった。

市古夏生氏が指摘していることだが、羅山の『棠陰比事』に関する業績は、この時に読み下しただけではない。

寛永年間（一六二四〜四四）に刊行された製版本の『棠陰比事』の訓点も、羅山の手によるものである。

また、慶安三年（一六五〇）には、紀伊徳川家の頼宣《よりのぶ》の依頼によって、『棠陰比事諺解』という書を作成している。これは、訳をしながら、その内容を解説したもので、こういった作業は羅山にとってはお手の物だった。

同じく訳・解説を付したものに、『棠陰比事加鈔』という書もある。こちらは、羅山の没後、寛文二年（一六六二）に刊行されている。また、これは初版ではなかったらしいので、それ以前にも刊行されているようだ。

つまり、訓読、訳・解説といった基礎的な作業を羅山が行って、それによって、この書の日本における普及が促進されたのである。羅山は、そのように先見性に富んだ人だった。

なお、羅山がなぜこの書を読んだかということだが、それについても、市古氏に指摘がある。「羅山先生年譜」寛永元年の条に、

或いは論語を講じ、或いは貞観政要を読み、或いは倭漢故事を談じ、或いは執政の咨詢《しじゅん》（引用者注・老中の相談）に接し、或いは棠陰の庁に赴く。（原漢文）

とあるように、羅山は裁判にも関わっていたらしいのである。それがどのくらい本質的なものだったのかは、この記述からはわからない。書記的な役割なのか、もう少し重要な判断が任されていたのか。いずれにしても、その参考として、羅山は『棠陰比事』を読む必要があったということなのだろう。もちろん、それだけではなく、彼の知識欲・好奇心に導かれるところも大きかった。

『巵言抄』　元和六年（一六二〇）七月二十一日、羅山は福岡藩主黒田長政の求めに応じて『巵言《しげん》抄《しょう》』を著している。「巵言」とは、『荘子』寓言篇にある語で、この場合は臨機応変に用いることばというくらいの意味だろう。主要な漢籍から、

百歩にして止まり五十歩にして止まる、是も亦た走るなり。（孟子）
言を巧みにし、色を令するは鮮《すくな》きかな仁。（論語）
君子の交りは淡くして水の如く、小人の交りは甘くして醴《れい》の如し。（礼記）　（原漢文）

といった格言を抄出し、注解を加えたものである。漢学への深く広い知識、それを過不足なく整理・提示する能力、の二つが備わっていないとできない著作なのである。

黒田長政は、秀吉に従って転戦し、特に朝鮮出兵でその名が知られ、関ヶ原の合戦では家康方に付いた武将である。大名たちの要請によって、彼らが理解しやすい漢学の啓蒙書を作ることも羅山の重要な仕事であった。

ただし、羅山の啓蒙書は直接の依頼者である武家たちだけに利用されたわけではなかった。刊行され、流布した結果、仮名草子や浮世草子の作者たち、芭蕉などによって利用されている。

それというのも、羅山の記述が簡潔でかつ的を得ているため、後の人々にとって信頼もでき、利用もしやすかったからだと考えられる。

一例を紹介しよう。

寛文七年（一六六七）に刊行された仮名草子『三国物語』は、日本、中国、天竺三国の説話を集めたものである。さほど独自な内容ではなく、当時公刊されていた説話集を切り貼りしたような作りになっている。その一話「唐の陶淵明が事付君子に潔矩《けっく》の道あるといふ事」に、『巵言抄』を大幅に剽窃した部分のあることが、渡辺守邦氏によって指摘されている。「潔矩の道」とは、自らの心を尺度として他人の心を推し量ることを言う。やや長くなるが、まずは『三国物語』の該当箇所を以下に掲げてみる。

大学に、君子に潔矩の道あるといふ事をもつてしるべし。潔矩とは、大工のすみかねなどのたぐひにて、方円を正す、うつわものなり。君子たる人は、そのうつは物のごとく、四方上下へさしわけ、ろくにはかるなり。

たとへば、上《かみ》として下《しも》の不忠をにくみきらはゞ、我よりうへたる人へ忠をなすべし。下として上の無礼をうらみおもはゞ、又われより下たるものに無礼をなすべからず。われすきこのむところをば、人もこのまんとおもひ、我にくみきらふところをば、人もにくみきらふべしとおもふべし。上下四方をのへそのぶ

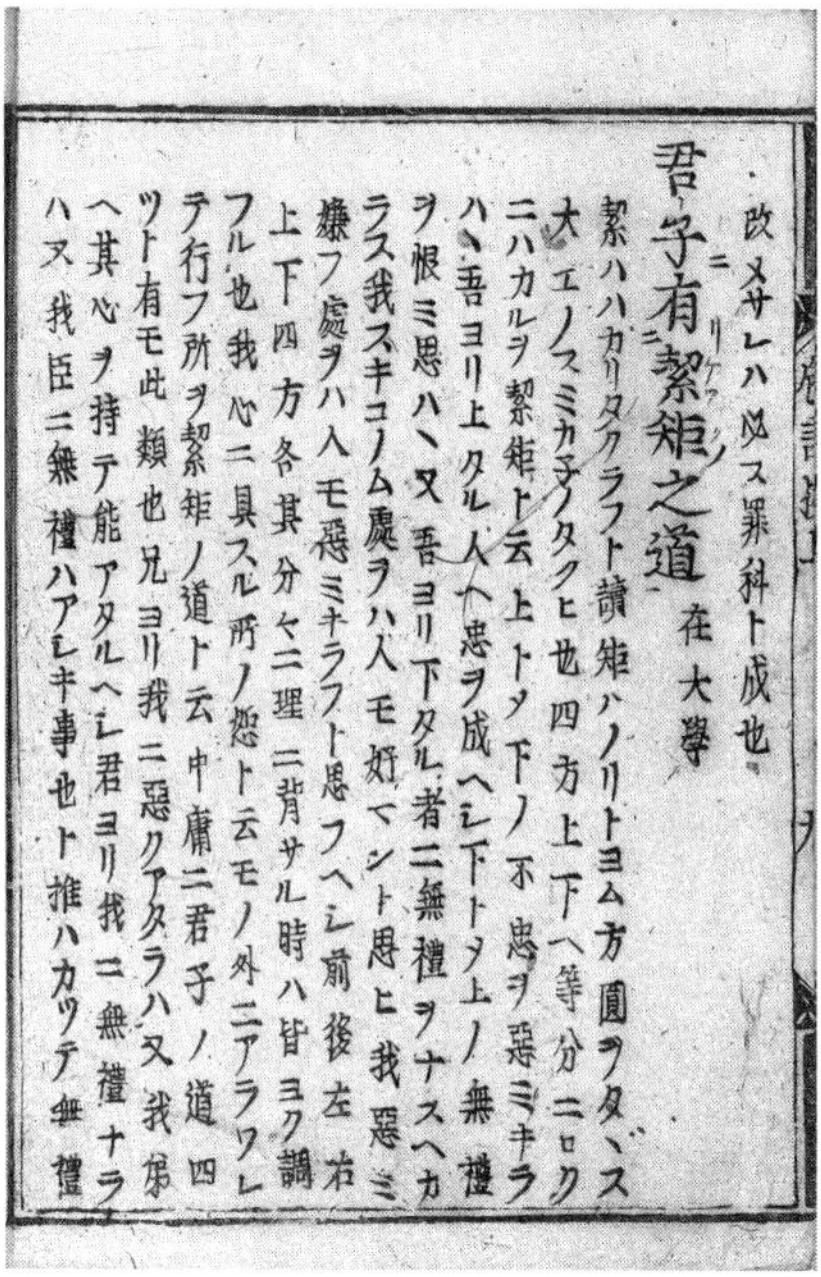
改メサレハ必ス罪科ト成也。
君子有絜矩之道　在大學
絜ハハカリ矩ハノリトヨム方圓ヲタヾス
大工ノスミカネノタクヒ也四方上下ヘ等分ニロク
ニハカルヲ絜矩ト云上トシテ下ノ不忠ヲ惡ミキラ
ハヽ吾ヨリ上タル人ヘ忠ヲ成ヘシ下トシテ上ノ無禮
ヲ恨ミ思ハヽ又吾ヨリ下タル者ニ無禮ヲナスヘカ
ラス我スキコノム處ヲハ人モ好マント思ヒ我惡ミ
嫌フ處ヲハ人モ惡ミキラフト思フヘシ前後左右
上下四方各其分々ニ理ニ背サル時ハ皆ヨク調
フル也我心ニ具スル所ノ恕ト云モノ外ニアラワレ
テ行フ所ヲ絜矩ノ道ト云中庸ニ君子ノ道四
ツト有モ此類也兄ヨリ我ニ惡クアタラハ又我弟
ヘ其心ヲ持テ能アタルヘシ君ヨリ我ニ無禮ナラ
ハ又我臣ニ無禮ハアルマシキ事也ト推ハカッテ無禮

『巵言抄』

ん〳〵に、理をそむかざる時は、皆よくとゝのふものなり。兄よりわれにあしくあたらば、又わが弟へ其心をもちてよくあたるべし。君より我に無礼ならば、又我《わが》臣下に無礼はあしき事也。友はうばひよりわれにもとむるところをば、我かたよりは用にたゝずして、われは無心などをいふて、かなはざるとてうらむるは、ひが事なり。かやうのこゝろをもつて、よく理非《りひ》をわきまへ、しるべき事也。

次に、『巵言抄』の該当部分を掲げる。『大学』の「君子に絜矩の道有るなり」という一文を解説しているくだりである。

君子有《リ》㆓絜矩之《ノ》道㆒　在㆓大学《ニ》㆒
絜ハ、ハカリタクラブト読《よむ》。矩ハ、ノリトヨム。方円ヲタヾス、大工ノスミカネノタグヒ也。四方上下へ等分ニ、ロクニハカルヲ絜矩ト云《いふ》。
上トシテ下ノ不忠ヲ悪《にく》ミキラハヾ、吾ヨリ上タル人へ忠ヲ成《なす》ベシ。下トシテ上ノ無礼ヲ恨ミ思ハヾ、又吾ヨリ下タル者ニ無礼ヲナスベカラズ。我スキコノム処ヲバ、人モ好マント思ヒ、我悪ミ嫌フ処ヲバ、人モ悪ミキラフト思フベシ。前後左右上下四方各其分々ニ、理ニ背《そむか》ザル時ハ、皆ヨク調フル也。（中略）
兄ヨリ我ニ悪《あし》クアタラバ、又我弟へ其心ヲ持テ能《よく》アタルベシ。君ヨリ我ニ無礼ナラバ、又我臣に無礼ハアシキ事也ト推《おし》ハカツテ、無礼スベカラズ。其分際ニ応ジテ仕フベシ。朋友ヨリ我ニ求《もとむ》ル所ヲバ、我カタヨリハ用ニ立《たた》ズシテ、我ハ朋友ヘ無心ナドヲ云テ、叶ハザルトテ恨《うらむ》ルハ、僻事《ひがごと》也。

両者を比べてみると、『巵言抄』の文章をほとんどそのまま『三国物語』が取り込んでいることがわかる。先に述べたような、浅井了意の『東海道名所記』が『丙辰紀行』をそっくり利用したのもそうだが、羅山の著述の場合、このようなことは枚挙に暇がないほどしばしば見られるものである。現在なら著者には著作権があるから、訴えられてもおかしくない。もちろん、江戸時代当時でも右のような剽窃まがいの例はかなり極端なものだが、今ある著作権についての考え方とはだいぶ異なっており、場合によっては大幅な文章の取り込みもなされていた。

なお、渡辺氏の指摘によると、『三国物語』には後述する『童観抄《どうかんしょう》』から摂取している部分もあるという。

後世の著者たちが羅山の著作を手もとに置いて一所懸命自作を執筆している姿を想像すると、じつに愉快である。

『孫呉摘語』

元和六年十月、羅山は『孫呉摘語《そんごてきご》』を著している。『孫子』『呉子』といった兵書や、『貞観政要』などから重要とされる文章を書き抜き、注釈を加えたものであり、武家側からの要請によって成った啓蒙的な書と考えられる。国立公文書館内閣文庫に稿本があり、慶安元年（一六四八）九月には刊行されてもいる。

この書については野口武彦氏がおもしろい指摘をしているので、紹介しておきたい。『孫子』行軍の「約無くして和を請ふは、謀なり」という一節を抜き出した羅山は、それに対して、

敵味方久シク相サ、フル時ニアツカイヲ請フ。タシカナル人質ヲ取《とる》カ、或ハ以来違《たが》フマジキホドノ証拠ノ約束モナク、唯《ただ》和睦セントスルハ、欺キ偽リテ謀略ノ手ダテナリト知《しる》ベシ。

と述べている。「アツカイ」とは、和睦のこと。野口氏は、この文章を書いた時、羅山の念頭には、五年前の大坂落城のことがあったと想像する。そして、「タシカナル人質ヲ取」とは淀君を江戸に送ることであり、「以来違フマジキホドノ証拠ノ約束」とは、秀頼が国替えをして大坂城を明け渡すことであり、どちらも豊臣家として決して受け入れられない無理難題であった。それを受諾するのが不可能であると知りながら、大坂側に持ちかけたところに、最初から和睦の気持ちなど無く、ただ開戦の口実がほしかったという家康の思惑を重ね合わせていくことができるというのである。

この『孫子』の文脈だと、そういう約束をすることなく、たんに和睦しようとするのは謀略だとあり、この時徳川側はそれを提案しているわけだから、微妙にずれているとも言える。ただ、そういった緊迫感のある事態と結び付く形で兵書も武家たちによって読まれていたとは言えるだろう。

有馬温泉へ赴く

元和七年（一六二一）四月十七日、羅山は京都を出発し、五月五日まで、摂州・紀州を周遊した。紀行「摂州有間温湯記《せっしゅうありまおんとうき》」「西南行日録」が成っている。

『有馬私雨』

この時、有馬温泉（現在、兵庫県神戸市北区）に立ち寄ったのは、前年に体調を崩したことによる。直接的には、後述するように「小瘍《しょうよう》（できもの）」によって体調が悪かったためだが、十一月には、天然痘のため五歳の次男長吉を亡くしており、精神的に落ち込んだことも関係していたのかもしれない。ちなみに、この時、長男叔勝・三男鵞峰も天然痘になったものの、義父荒川宗意の尽力もあって、快復している。しかし、いろいろと気を揉んだことであろう。

「摂州有間温湯記」（『羅山林先生文集』巻十五）から、一部を引こう。

> 余、去歳、東武の江戸に在りて、小瘍を患ふ。既に故《もと》に復す。然れども気宇《きう》恒ならず。是に因りて公暇を賜ひ、洛に入る。今茲、来りて湯泉に浴す。泉の直《ただち》に出て正しく出る者の数処、清らかにし

て鹹《しほから》く、日夜流れ注ひで窮《きはま》らず。屢《しばしば》、酌んで常に湛《たた》ふ。石を底にして以て甃《たた》み、一室板壁間隔す。一の湯と曰ひ、二の湯と曰ふ。其の浴槽方丈許《ばか》り、甚だしく熱すれば則ち筧の水を注ひで以て之を和す。熱からず冷ならずして、其の宜しきを得たり。浴する者の先づ杓を手にし湯を酌み、首及び肩背に灑ぎて而して後、槽に入る。或いは潜泳し、或いは拍浮す。（原漢文）

さきほど述べたような昨年の「小瘍」は身体的には快復したものの「気宇（気構え）」がまだ常態ではない。それで「公暇」を得て、この温泉にやって来た。滾々と湧き出る湯は、もともと熱いものだが、筧から水が注がれることで、ほどよい熱さに中和されている。湯治客は柄杓を手に持って首・肩・背中に湯をかけた後、浴槽に入り、潜って泳いだり、手を打って浮かんでいる。今とそれほど変わらない入浴光景である。

その先の部分ももう少し読んでみよう。

同来四三人、竟日《きやうじつ》情話し、書を読み、字を写す。或いは体倦《う》む時は則ち行きて鼓の滝を観《み》、薬師堂に登り、或いは地獄谷に遊んで、望中の山林緑樹に対す。日を経て、愈《いよいよ》浴し愈快し、亦た可ならずや。

同じくやって来た三、四人とともに親しく話をしたり、読書をしたり書写したりしながら、それに飽きて疲れると鼓の滝や薬師堂・地獄谷を訪れたり、山の木々の緑に対面する。日を追うごとに、温泉によって快癒していくのである。

ただ、こういう時でも、「書を読み、字を写」しているという記述からは、四六時中本を読んでいないと気がすまないこの人の性癖が垣間見えて面白い。

さて、この有馬をめぐる紀行文の後世における享受についても一例を挙げておこう。寛文十二年（一六七二）に刊行された有馬の地誌『有馬私雨《しぐれ》』（平子政長著）には、次のような記述がある。

洗目湯

妬《ねたみ》の湯のあたり近き所にあり。かたち妬の湯に似たり。諸の眼病によしとなん。昔いざなぎのみこと筑紫《つくし》橘の小戸《をど》に行まして、潮をもて御眼にそゝぎ給ふ事あり。彼潮のなごり地にこもりしが涌《わき》出《いで》し湯なるべきよし、羅山子しるせり。さもこそとおぼえ侍れば、此ことはりによるべき歟《か》。

「昔いざなぎの」以下が、羅山がかつて記したことであり、『有馬私雨』でも「さもこそ（いかにもその通り）」と賛意が示されている。これは、羅山の「西南行日録」（『羅山林先生詩集』巻三）の「目洗ひ湯」のところに記されている、「昔伊弉諾《いざなぎ》の神、筑紫橘の小戸に行き潮を以て眼を滌《すす》ぐ。夫れ潮水地中より行く故に地を闕《ほ》りて何の処にか水有らざらんや。然れば則ち此の目洗ひ湯を以て之を橘の小戸の支流と謂ふも亦た何の害あらん」（原漢文）という記述に拠っているのである。『古事記』上巻では、黄泉の国から戻った伊耶那岐神が、体の穢れを洗い清めるため、筑紫の日向の橘の小門のあわき原に向かい、そこで禊《みそぎ》をして次々と神を出現させる有名な場面がある。そして、左の目を洗った時に成ったのが天照大御神《あまてらすおおみかみ》、右の目を洗った時に成ったのが月読《つくよみの》命《みこと》である。『古事記』に関する知識を自らの詩文に盛り込み、それがさらに有益な情報として後代に受け継がれる。まさに羅山の特質を象徴するような営みがここになされていると言えるだろう。

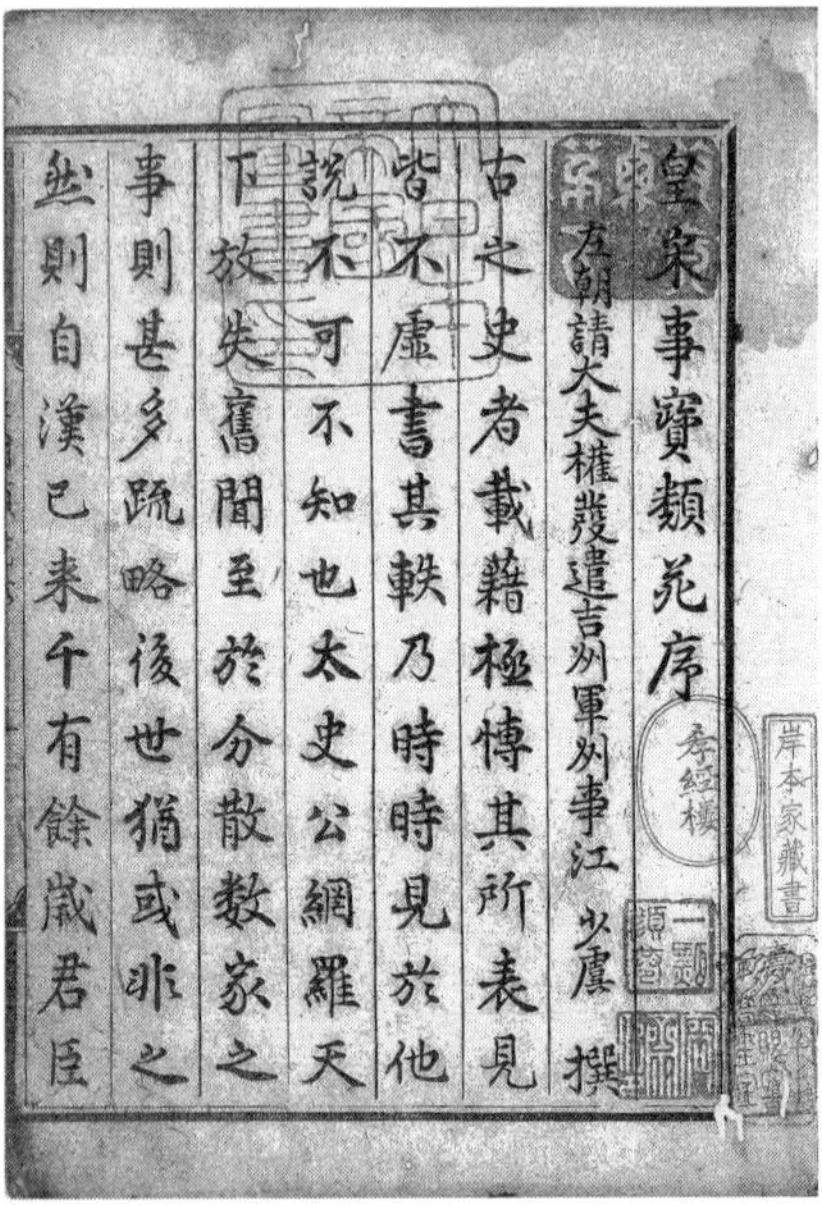
皇宋事寶類苑序
左朝請大夫權發遣吉州軍州事江少虞撰
古之史者載籍極博其所表見
皆不虛書其軼乃時時見於他
說不可不知也太史公網羅天
下放失舊聞至於分散數家之
事則甚多踈略後世猶或非之
然則自漢已來千有餘歲君臣

『皇宋事宝類苑』

『皇宋事宝類苑』に訓点を施す

元和七年九月一日、京都所司代板倉重宗を通じて『皇宋事宝類苑』(元和勅版)を賜った。『皇宋事宝類苑』は、南宋の江少虞《こうしょうぐ》が編集した類書である。勅命により、羅山は訓点を施し、禁中において武家伝奏中院通村《なかのいんみちむら》・阿野実顕を介して後水尾天皇(一五九六~一六八〇)に奏献した。

後水尾天皇は、羅山とほぼ同時代の宮廷歌壇を主宰した。和歌にすぐれた才能を発揮し、家集『後水尾院御集』が残されている。その歌壇では、中院通村や烏丸光広らの歌人たちが活躍し、大いに盛り上がった。

この時期の雅文芸のうち、〈和〉の雄が後水尾天皇、〈漢〉の雄が羅山と言ってよいだろう。

『野槌』

元和七年（一六二一）の秋には、『徒然草』の注釈である『野槌《のづち》』を完成させている。慶長九年（一六〇四）には秦宗巴《はたそうは》の『徒然草寿命院抄《じゅみょういんしょう》』というすぐれた注釈書が刊行され、前述したように同八年には松永貞徳が公開講義を行っている。貞徳の注釈書『なぐさみ草』が刊行されたのは、承応元年（一六五二）以降のことだった。江戸時代前期には『徒然草』の注釈がさかんに試みられるのだが、『野槌』はその早い時期のものと言える。『野槌』の刊行は寛永（一六二四〜四四）の後半と考えられ、加藤盤斎《ばんさい》の『徒然草抄』（寛文元年〈一六六一〉刊）や北村季吟の『徒然草文段《もんだん》抄《しょう》』（寛文七年刊）にも影響を与えている。

『徒然草』といえば、著者兼好は僧侶であり、いわば思想的には敵の仏教側の著述である。仏教の隠逸的傾向は現世を重視する儒学の嫌うところであったはずだ。それなのに、なぜ、そのような書に注釈しようとしたのだろうか。

これについては川平敏文氏の研究に詳しいが、貞徳との儒仏論争をはじめとして、儒教がいかに仏教より優位に立っているかを常に説こうとした羅山が、その目的の一環として、『徒然草』に相対し、兼好の思想を検討することで儒仏の違いを明らかにしようとしたということなのだろう。

仏教への批判の一例としては、たとえば、一九〇段に「妻《め》といふものこそ、をのこの持つまじきも

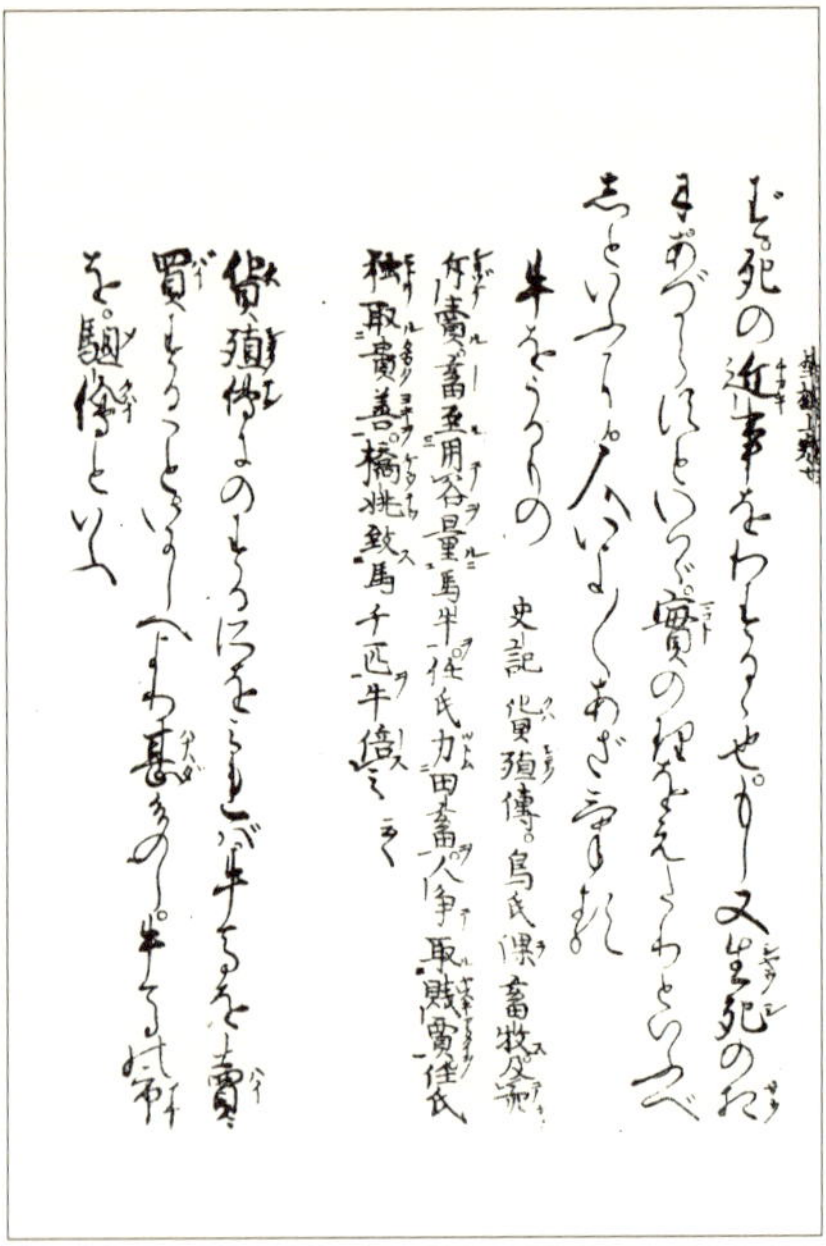

『野槌』93段

のなれ。（中略）寸など出できて、かしづき愛したる、心憂し」に対して、羅山が、

それ男女は人倫の本也。男子《なんし》に家《か》室《しつ》あらんとねがひ、女子《によし》によきむこをもとむるは、天下父母の心也。男は外《ほか》をおさめ、女は内をたゞす。家法にあらずや。妻子和《やはら》いで父母に順《したが》ふ。家の栄《えい》にあらずや。いかんぞ五倫をさりて道を求めん。

と否定的に扱っていることが挙げられるだろう。

また、島内裕子氏が指摘するように、『徒然草』が羅山の学識を誇示するのに最も適当な日本の古典だったからという点も見逃せない。示唆に富み、また古今の事象に関する深い洞察が備わった書なればこそ、博識な羅山も歯応えを感じるといった側面もたしかにあったと思う。

『徒然草』注釈の歴史の上に置いてみた時、『野槌』には大きな意義がある。具体的には、これも島内氏が指摘するように、一つは羅山の幅広い知識によって、詳しく典拠などを洗い出したこと、さらに類似の例を多数掲げていること、が挙げられよう。

前者の例として、九十三段がある。「牛を売る者有り。買ふ人、明日、その値をやりて、牛を取らんと言ふ。夜の間に、牛、死ぬ。買はんとする人に利あり。売らんとする人に損ありと語る人、有り」から始まって、「一日の命、万金《まんきん》よりも重し」とわかったから損ではないと述べる者がおり、さらに「人、死を憎まば、生《しょう》を愛すべし。存命《ぞんめい》の喜び、日々に楽しまざらんや」と説く。先行する『徒然草寿命院抄』では、「牛ノウリカヒ、故事本説アル事ニヤ、未考」とあるのを、『野槌』では『史記』貨殖伝を挙げて、「貨殖伝にのする所をみれば、牛馬を売買すること、いにしへより甚《はなはだ》多し」として、典拠を明示している。

後者の例としては、たとえば七十段がある。この段は後醍醐天皇の御代、元応《げんおう》（一三一九～二一）の頃の大嘗祭の折、衣被《きぬかずき》をして顔を隠した女が琵琶の名器「牧馬《ぼくば》」の柱を一つ外しておいたのを、琵琶の名手藤原兼季が弾く前に入念に点検したため、何も不都合が生じなかったという、宮廷における陰謀について記したものである。それについて、羅山は、『野槌』の中で、

いつぞや室町家の将軍の時、何阿弥《なにあみ》とかやいふ同朋に、画軸《ぐはぢく》をかけさせられけるに、壁の釘をさぐりて見けれは、其まゝおちけり。うちなをして後に軸をひらきかゝげると、ある人の語り侍りしを思ひ出ぬ。又、ちか比《ごろ》、人のかたりしは、ある猿楽の山伏のかたちに成ていのりをするとて、あま

りにつよく数珠をすりきりて、懐の中より、こと数珠を取出し、なをいのりけり。用意の所は、さもあるらめど、わざとたくみてせんは、いかゞ侍らん。

と記し、用心していたために失敗しなかった例を二つ追加していると島内氏は述べている。

さらに、川平氏が指摘している、次のような例も注目に値する。二一一段「万《よろづ》の事はたのむべからず」に対して、『野槌』は、次のように説く。

此段も荘老の糟粕《さうはく》に酔《ゑへ》るに似たれども、余の段よりは儒者の気象に近し。末に到て、心地の工夫をいひて、喜怒、是にさはらぬやうにといへる。兼好もたゞの人にあらず。喜怒、本来なきもの也と云は、仏氏の心なり。虚舟のつながざる、人の舟にあたらば、誰か怒《いか》らん。無心にして喜怒に応ずるは、荘老の用心也。（中略）喜怒は聖人もあること也。喜怒すべき時に喜怒するを已発《いはつ》の中となづけ、其理そなはれどもおこらざる所を未発の中と名《なづ》く。顔子が「不《ズ》レ遷《ウツサ》レ怒《イカリヲ》」といへるも、すでに怒べき時にいかりて、又其を他へうつさゞる義也。

特に後半の、「喜怒は聖人もあること也」以下では、感情の存在を肯定した上で、それに拘泥しなければよいとするのは、羅山の発見であったと川平氏は述べている。一般に人間的な感情を正負両面併せて肯定し、そのことに正面から向かい合うのは元禄（一六八八〜一七〇四）頃とされる。しかし、この羅山の視点は、その先蹤と言えるものなのである。

つづいて、『野槌』の後代における摂取例を紹介しよう。近松門左衛門の人形浄瑠璃『用明天王職人鑑《ようめいてんのうしょくにんかがみ》』(宝永二年〈一七〇五〉初演)の冒頭の一節をまず掲げる。なお、同書は仏教を信じる花人親王と、外道を信じる山彦皇子との争いを描いたもの。

宋の陸子静《りくしせい》がいはく、東西海《とうざいかい》の聖人此心をおなじうし此理を同じうす、南北海《なんぼくかい》の聖人も又同じと、(中略)三十一代敏達《びだつ》の天子(中略)然るに当今はなはだ文史《ぶんし》のがくに長じ給ひ、民をもつて天とすとめくしひたし給ひければ、君が八すみの外迄も君子国とぞあをぎける(下略)

右の部分について、神谷勝広氏は次のような『野槌』の記述が参考にされた可能性が高いと指摘している。

天地はかぎる所なし　宋《ノ》陸子静曰《ガク》宇宙《ハ》吾《ガ》分内《ノ》事又曰《ク》天地何《レノ》所《ナラン》レ窮《マル》又曰東西海《ノ》聖人同《ジ》二此《ノ》心《ヲ》一同《ス》二此《ノ》理《ヲ》一、南北海《ノ》聖人亦《モ》同《ジ》又曰《ク》人《ハ》在《リ》二無窮《ぶきうノ》之中《ニ》一(二一一段)

食は人の天なり(中略)史記《ニ》(中略)王者以《テ》二民人《ヲ》一為《ス》レ天《ト》而民人《ハ》以《テ》レ食《ヲ》為《ス》レ天《ト》(一一二段)

また、「君子国」ということばも『野槌』一一段の注に出てくる。近松は『野槌』の中で仏教の論争に関わりそうなところを拾い読みして自分の作品表現に取り込んだらしいと、神谷氏は推定する。

そして、このように、羅山の披露した学識を踏まえて自らの作品の冒頭を飾ろうとする近松の姿勢からは、知的な表現を用いて格調高く物語を始めようとする意図が見出せよう。

第五章　家光による登用——権威

1　政治との関わり

家光、三代将軍になる

元和九年（一六二三）七月二十七日、当時二十歳の徳川家光《とくがわいえみつ》（一六〇四〜五一）は伏見城において将軍宣下を受けた。三代将軍の誕生である。羅山、四十一歳の時のことである。

先に述べたように、家康が没したのちの秀忠の将軍時代は、堀勇雄氏の指摘する通り、羅山にとって「不遇」「雌伏」の時代だったという面もあったかもしれないが、弟永喜が秀忠の側近として仕えていることで、羅山としてはある程度精神的な安定を得ていたと思われる。そのため、第四章の副題は「安定」としたのだった。

だから、家光の時代になって、御伽衆《おとぎしゅう》として取り立てられることについても、堀氏のように「雄

徳川家光

飛」というのではなく、安定していたものが「権威」として定着していくということではなかったかと思う。第五章副題をそのように設定した所以である。

家光の御伽衆となる

御伽衆とは、将軍や大名のお側近くに伺候《しこう》して、さまざまな話題を述べたり、雑談の相手をつとめたりする者。室町時代末期に、戦陣で手持ち無沙汰なのを慰めるため、老臣や僧侶を侍らせたのが始まりとされる。

家光の御伽衆にもそのような人物たちが選ばれた。その数ざっと三、四十人はいたと思われる。桑田忠親氏が諸資料から、その人名を特定している。まず、『近代雑記』（あるいは『前橋旧蔵聞書』『武功雑記』）によれば、

柳生宗矩《やぎゅうむねのり》・大河原正良・小幡直之・内田正世・大橋龍慶

の五名が挙げられる。柳生宗矩は、柳生但馬守として知られる剣術家。家康に従って関ヶ原の合戦で活躍し、秀忠に柳生新陰流を教授した人物である。また、『徳川実紀』では、

高力《こうりき》忠房・松平正綱・牧野信成・加々爪《かがつめ》忠澄・今大路親昌・岡孝賀（以上、一番）
松平重則・秋元泰朝・伊丹康勝・杉浦正友・半井《なからい》成近・吉田松庵（以上、二番）
山口重政・板倉重昌・堀直之・内田正世・田村長有・山川城管（以上、三番）

が確認できる。彼らは六名ずつ三番交替で出仕したということである。同書によれば、そののち安藤重長・増上寺以伝が追加され、また秀忠時代から引き続いて立花宗茂も侍っていた。さらに、『夜譚随筆』によって、

毛利秀元・丹羽長重・蜂須賀蓬庵・林羅山

が御伽衆として毎日登城したことが知られる。

桑田氏によれば、柳生宗矩・大河原正良・内田正世・高力忠房・松平正綱・牧野信成・加々爪忠澄・秋元泰朝・伊丹康勝・杉浦正友・板倉重昌・堀直之・山川城管・安藤重長らが徳川譜代の家臣たちである。やはり最も多い。それ以外には、織田家の旧臣（山口重政・蜂須賀蓬庵）、豊臣家の旧臣（松平重則・毛利秀元）、北条家の旧臣（小幡直之）、片桐且元の旧臣（大橋龍慶）の他、今大路親昌・岡孝賀・半井成近・田村長有ら医者たちが選ばれている。そこに儒者として羅山も加わっていたわけである。

『徳川実紀』寛永二年の条には、

世に伝ふる所は、当代（引用者注・家光）御幼稚の時、御父祖（引用者注・秀忠）の思召にて、古老のともがらに、古き事ども聞《きこ》えあげよとて、其ころの老人、かれこれ日夜まうのぼりけるに、いつも林道春を其談伴として、相互に昔今の物がたりするを、上（引用者注・家光）には、かたはらにて聞召《きこしめし》けるが、のちには聞召なれて面白き事に思召、御みづからも、したしくとひたづねさせたまひける。かくてぞ古今天下の治乱、政事の可否、かつ人臣の功績をも明らかにしろしめしければ、御政事をとらせ給ひて後の御益となる事少からず。

ともある。家光幼少より羅山が近侍して信頼を勝ちえており、羅山との対話を通して将軍としての心得を自らに蓄えていったというのである。

御伽衆のふるまい

実際のところ、御伽衆はどのようにふるまい、またどのような行動が求められていたのだろう。一つの具体例として、ここでは、小野久内という御鷹匠が家光の前で話した模様が記されている『備前老人物語』から引用しておこう。桑田氏によれば、この小野久内という人物はもともとは御鷹匠で御伽衆ではないが、この時は飛び入りで御伽衆のようにふるまったということであったらしい。

ある時、大猷院《たいいうゐん》様（引用者注・家光）御雑談《ざふだん》の席に、当地に雷の落《おつ》ること度々に及ぶ。昔はかくはなかりし、天地のこともむかしに異なるにやとありしに、小野久内御前にさぶらひしが、「雷の落たること古今の異なるにはあるまじけれども、御当地繁昌《はんじやう》になりゆく故に、度々上聞に達せし成《なる》べし。その故は、昔は人の家居おろそかにして、こゝかしこに候ひしほどに、雷おつれども、しる人まれなるべきもの也。次第に繁昌にしたがひて、今程は御城下二三里四方、家々軒をならべたれば、雷のおつるごとに家やぶれ、人損せずといふことなく、こと〴〵しく聞《きこ》へわたり、かつはかたはし聞伝たるものども、尾羽をつけて語り伝へ申すなるべし」と申ければ、さもあるべき事也と仰ありて、御気色よかりしと也。時に臨てよく申されたりと皆人いひあへり。

家光の御前で、雷がさかんに落ちるがこのようなことは昔はなかったということが話題になり、小野久内が「昔から雷の頻度に変わりはないけれども、今は世の中が栄えて住宅の密度が高くなり、雷が落ちたことが語られやすくなっているのである」と切り返したため、将軍の機嫌もよくなったというのである。雷が落ちるという不吉な話柄を、天下が繁昌しているというめでたさに転じたところが賞賛されたわけだ。その場の雰囲気を読み取り、当意即妙に対応する。そのような気のきかせ方ができる人物が重用されたのである。

羅山の場合には、その博識・教養によって、数多くの知識を人々に示すことで、有益さを提供するという能力がそれに当てはまるのであろう。漢籍への造詣という点で彼に叶う者はその場にいなかったわけで、彼としては自分が他に勝っている能力を十二分に発揮しようとつとめたにちがいない。

家光に拝謁する

家光が征夷大将軍に補せられた翌年寛永元年（一六二四）四月十三日、羅山は家光に拝謁し、これ以後頻繁に侍し、『論語』や『貞観政要』を進講したり、執政や裁判にも関与するようになる。

この時の七絶二首を以下に挙げる。

山東将相武兼文
整頓乾坤建国勲
豈意一心茅塞子
幸逢三代柳営君

山東の将相　武と文を兼ね
乾坤を整頓して　国勲を建つ
豈《あ》に意《おも》はんや　一心　茅塞子《ぼうさいし》
幸ひに三代柳営の君に逢はんとは

（『羅山林先生詩集』巻三十八）

結句「三代柳営の君」はもちろん三代将軍家光のことであり、拝謁できたことの喜びを歌っている。

行蔵今古道猶存
一旦新承雨露恩
且喜蟻蟻居下土
忽攀麟鳳出中原

行蔵《かうざう》　今古　道猶《な》ほ存す
一旦　新たに雨露の恩を承《う》く
且つ喜ぶ　蟻蟻《ぎき》の下土に居て
忽ち麟鳳《りんぽう》を攀《よ》ぢて　中原《ちゅうげん》に出づるを

（同右）

起句の「行蔵」は、出処進退の意。『論語』述而《じゅつじ》篇に基づくことば。承句「雨露の恩」は、雨露の恵みのような恩沢。家光のそれを指す。

転・結句は、「蟻蟻（蟻や蝨）」のような存在であった羅山が、「麟鳳（麒麟と鳳凰）」のような家光によって再び活躍の舞台へと登場することができた、という感謝の気持ちを詠んでいる。「下土」は下界を指し、「中原」は天下、また国の中央を言う。

私はさきほど秀忠時代から家光時代における羅山の立場の変化は堀氏の言うような〈不遇・雌伏から雄飛へ〉ということではなく、〈安定から権威へ〉ということだったのではないかと述べた。そのことと、ここでの「且つ喜ぶ　蟻蟻の下土に居て／忽ち麟鳳を攀ぢて中原に出づるを」という喜びようとは矛盾するのではないか、やはり堀氏の図式の方が正しいのではないかと思われる方もいるだろう。

私も羅山が再び表舞台に戻ってきたという事実自体を否定しているわけではない。ただ、彼の心の持ちようとしては、家のこと全体として我が身の幸不幸を捉えており、そうすると、秀忠時代はそれほど落ち込んでいたわけではないと想像しているのである。もちろん、それとは別に一個人としての感情もあるわけだから、再度光が当たる場に立った喜びのようなものが彼の中に芽生えていたであろうことは否定しない。それに、新しく将軍になった人の前で詩を詠むのである。「おかげさまで私もまた活躍することができて嬉しうございます」くらい言うのが礼儀というものであろう。

『貞徳狂歌集』鷹狩

家光の狩猟に扈従する

家光の将軍就任に伴って、羅山は家光の狩猟に何度も扈従《こしょう》するようになる。将軍の鷹狩は、武家にとって娯楽というだけでなく、自らの権威を示すという要素を多分に含む政治的な催しでもあった。

寛永二年（一六二五）二月には、川越・鴻巣《こうのす》において家光の鷹狩があり、羅山は随行して家光に献詩している。同年、十一月末から十二月にかけては、牟礼野《むれの》で鹿狩があり、ここでも詩を詠んでいる。また、翌三年二月にも、川越・鴻巣への家光の狩猟に扈従しており、この間にも詩を詠んだ。ちなみに二月十七日には、川越三芳野《みよしの》の天神廟へ参詣し、長男叔勝《よしかつ》の病気平癒を祈願してもいる。この長男は病弱で、結局それから三年後に十七歳の若さで世を去ることになる（後述）。

寛永二年十一月の鹿狩の模様を『羅山林先生詩集』巻四の詩の序から再現してみよう（宇野茂彦

氏の指摘を参考にした)。

寛永二年乙丑冬十一月晦、幕下《ばくか》(引用者註・将軍家光)牟礼の城山に狩す。蓋し《けだ》掎角《きかく》(引用者註・鹿狩)の為なり。牟礼は武野蒼莽《さうまう》の中に在り。城府西北を距《へだ》つること二十七八里許《ばか》り、城山周廻二千四五百歩許り。黎明台駕《れいめいたいが》(引用者註・将軍家光)親《みづか》ら巡りて隊伍を指揮す。列卒環《めぐ》り繞《めぐ》り、羅網《らまう》囲み張る。衆大いに呼びて獣を駆る。声数里に聞ゆ。是に於いて、鹿忽ち奔《はし》り出づ。幕下馬より下り、鳥銃《てうじゅう》を発し之に中《あ》てて殪《たふ》す。少しくあつて鹿又飛び走る。矛《ほこ》を以て之を刺して斃《たふ》す。矛菫《ぼうきん》折れて抜けず、別に一槍を握り、復た一大鹿を刺し殺す。山の側に池有り、鹿遂ひ迫《せ》められ、泳ぎて逸《そ》れて、御前に突く。刀を挺《ぬ》きて之を斬る。身首、処を異にす。又、隻手匕首《せきしゅひしゅ》(引用者註・短剣)を提げ、奔鹿を躍り撃つ。手に応じて殞《お》つ。(原漢文)

牟礼は現在の東京都三鷹市の地名である。家光は牟礼野にしばしば遊猟し、御殿山《ごてんやま》(現在の武蔵野市)には休み所が置かれていた。なお、「城府西北を距つること二十七八里許」とあるが、一里は約四キロメートルであり、江戸城から牟礼まで百キロ以上離れていることになるので、これはおかしい。現在の千代田区から三鷹市まではざっと二十キロメートルというところだろう。

右の記述からは、将軍の指揮のもと、多くの武士たちが大声を出しながら鹿を追い込み、狩りをするさまが生き生きと伝わってくるではないか。この時の獲物は、鹿が四十三頭、兎が一頭だった。

この鹿狩について、羅山はたちどころに律詩を作ってみせたのだが、韻（攻・功・夢・熊・同。すべて「東」の韻）が難しすぎて、他の人々がこの詩に和して詩を作ることができなかった。これについて少し注記しておくと、詩には必ず韻を踏んで作るという規則がある。そして、一人の人物が詩を作ったら、他の人が同じ韻を用いて別の詩を作ることを詩に和すと言う。そのように共通の要素を持ちつつ互いに個性を発揮し合うことで、文芸的な共同性が創出されることになるのである。ところが、この時には羅山の作った詩の韻字が、和すのに難しいとみんなに言われてしまった。そこで、羅山は同じ韻の詩をさらに五首詠んでみせたと羅山の詩集にはある。その前に同じ韻で二首詠んでいるので、合計八首も同じ韻で詩を作ったことになる。どのような韻であろうと、いくらでも詩を作ってみせますよと言わんばかりに自らの才を誇る羅山のさまが目に見えるようだ。そして、そのようにして場を盛り上げることも、御伽衆の仕事である。

民部卿法印となる

寛永三年（一六二六）七月十二日、上洛のため家光が江戸を出発し、羅山も随行した。この時、『寛永三年御上洛記』を著している。

同五年四月十三日、家康十三回忌のため日光山に参詣する家光に従い、江戸を発った。この時にも、『寛永戊辰《ぼしん》日光山斎会《さいえ》記』を著している。

同七年九月十二日には、明正《めいしょう》天皇即位式を拝観した。狩野探幽が絵を描き、羅山が『寛永御即位記略』を著す。明正天皇は、後水尾天皇と東福門院《とうふくもんいん》（徳川和子。秀忠の娘）の間に生まれた皇女興子。つまり徳川方にとって親近感の持てる天皇の即位だったわけだ。

同十一年六月二十日には、家光に従って江戸を出発して京都に上った。『御入洛記《ごじゅらくき》（寛永甲戌《こうじゅつ》御入洛記）』『御参内記』を著している。

そのようにさまざまな政治的行事に参加し、そのたびに記録的な文章をものしている。その博識・教養が期待されての営みだったことは言うまでもない。

さてここでは、寛永六年（一六二九）四十七歳の時に民部《みんぶ》卿《きょう》法印《ほういん》となったことに触れておこう。それは大晦日の日のことだった。家光より、羅山を民部卿法印に、弟の永喜を刑部《ぎょうぶ》卿法印に叙すという命が下される。法印とは、僧侶の最高位で、法眼《ほうげん》や法橋《ほっきょう》より上の位である。当時の幕府には、まだ儒官にふさわしい役職はなかった。「大学頭」という儒官にふさわしい称号は、元禄四年（一六九一）羅山の孫の鳳岡になって初めて与えられたものなのである。だから、羅山ら兄弟に法印の位を授けるということは、幕府側からすれば、その働きに報いる最大級の褒賞だったのである。幕府が儒教の立場を高く評価したということを公に宣言したものとも言えよう。

だが、儒教と仏教は敵対する関係にあったわけだから、その相手側の位を授かったことはやはり不本意なことだったと言わねばならない。しかし、もちろん将軍の命を拒否することなどありえない。慶長十二年に家康の命により剃髪したのと同様、ここでも羅山たちはそれに従うしかなかった。

これについて、羅山が弁明を記している。『羅山林先生詩集』巻三十八の「法印位に叙する詩、并に序」から引こう。

除夕（引用者注・大晦日）台命を蒙り、余が兄弟に法印位を賜はる。何の栄幸か之に加へんや。雞日《けいじつ》（引用者注・元旦）共に法服を服し、拝謁を殿中に執《と》り、雄剣龍蹄を献じて、乃ち稽首《けいしゆ》して趨《はし》り進み、跪《ひざまづ》きて觴瀝《しやうれき》を飲み、且つ御衣一襲を受く。何ぞ意《おも》はん、此の身の青雲の士為《た》らんとは。原《たづ》ぬるに夫《そ》れ法印は沙門《しやもん》の位なり。而して僧正の官に配す。今、余が兄弟は元是れ儒なり。然れども祝《しゆく》髪《はつ》する者の久しく、国俗に随ふ（引用者注・慶長十二年の剃髪を言う）。太伯《たいはく》の断髪・孔子の郷服と何を以て異ならんや。復た何ぞ傷《いた》まん。此に説有り。寺は官舎なり。借りて梵宇《ぼんう》（引用者注・寺院）と為す。精舎は本黌《もとくわう》（引用者注・学校）なり。亦た借りて蘭若《らんにや》（引用者注・寺院）の名と為す。典は常なり。経も亦た常なり。聖人の言は万世宜しく常に之を行ふべし。故に以て其の名と為す。然れども浮屠《ふと》（引用者注・仏教徒）、之を仮托《かたく》し、修多羅《しゆたら》（引用者注・経文）を号して典経《てんけい》と為す。則ち蓋《なん》ぞ其の本《もと》に反《かへ》らざるや。先王に法服有り、法言有り。四書・六経《りつけい》に読法有り。其れ皆、筆墨に見え、不朽に垂る。故に墨は以て万古文章の印を伝ふ。是れ吾が取る所の法印なり。之を心印と謂はんも亦た可なり。是れ此の授位は吾が兄弟の曾《かつ》て期望する所に非ざるなり。而も今、上（引用者注・家光）より之を裁するときは、則ち恩睞《おんらい》亦た厚からざらんや。所謂《いはゆる》天より之を命ずる者か。

天上瑞雲春共来　　天上の瑞雲　春共に来る
吾儕法服拝三台　　吾儕《わがせい》法服し　三台《さんたい》（引用者注・家光）を拝す
忽伝万古文章印　　忽ち万古文章の印を伝へて
試墨池中氷尽開　　試墨池中　氷尽く開く

（原漢文）

弁明の要点は、宇野茂彦氏の指摘の通り、三つある。

第一は、「国俗に随」っただけであるということ。呉の太伯（泰伯）が荊蛮へ逃げ髪の毛を短く切ったり、孔子が郷服を着たのと同様であるとも述べている。日本にはまだ儒教が根付いていないから、僧侶としての地位をとりあえず得て、そこから自らの理想である儒教を普及させていく現実的な考えだというわけである。

第二は、「万古文章の印を伝」えることが、法印の本当の意味なのだということ。言い換えると、聖天子の思想や、儒学の教典は文章によって伝えられ、その残された形「印」が法印だと言うのである。だから儒者が授かってもよいという理屈である。しかし、法印は明らかに仏教の用語だから、この解釈はいかにも苦しい。

第三に、今回の授位は、「吾が兄弟の曾て期望する所に非ざるなり」――われわれ兄弟がかねてより切望してそうなったわけではないと言う。将軍家光の意向であり、また天命なのである。これはもっともな理屈だと思う。

なお、中江藤樹が「林氏剃髪受位弁」（『藤樹先生全集』）によって、この弁明を批判している。特に第一の点について、

蓋《けだ》し円《まる》く顛髪《てんぱつ》（引用者注・月代）を剃除して、余髪を以て髻《もとどり》と為すは、倭の国俗なり。尽く其の髪を剃除して髻無きは、仏者の頭容なり、国俗に非ず。（原漢文）

ない。

と指摘しているのは、その通りであろう。月代・髻の姿は日本風であっても、すべて髪を剃ってしまうのは仏教の風俗であって「国俗」ではないという論理の前には、羅山の弁明も言い訳にしか聞こえない。

武家諸法度の起草

寛永十二年（一六三五）六月二十一日には諸大名が全員登城を命じられ、大広間において羅山が武家諸法度《ぶけしょはっと》を読み上げた。これは羅山と弟の永喜が起草したものであったが、彼らだけで作ったわけでは無論ない。この年の初めから家光と老臣たちによって何度も会合が持たれ、法度の作成に当たっていた。羅山らの役割は、それを整理し、文章化したことにある。

この時の武家諸法度は、大名の参勤交代制度が具体的に定められ、また諸大名の交戦権を限定し将軍が統括する規定を設けるなど、家康の時のものを大幅に改定し、以後将軍の代替わりに発布される武家諸法度の基盤となるようなものだった。

実質的な関わりはともかくとして、多くの大名たちを前に法令を読み上げる役目は、羅山の優越感をそれなりに高めたであろう。

御伽衆、民部卿法印、そして武家諸法度の読み上げ、というように寛永の前半において羅山と林家の権威が確立していったのである。

「城内神廟霊鶴記」

寛永十四年（一六三七）四月一日、江戸城でめでたいことが起こった。二の丸東照社を造り替えているところに、二羽の鶴が舞い降りたのである。鶴は、長寿の象徴でもあり、吉祥の鳥でもある。瑞祥として喜ばれ、羅山はそれを寿ぐため「城内神廟霊鶴記」(『羅山林先生文集』巻二十一)という文章を記すことになった。

この中で、鶴にまつわる中国のさまざまな皇帝の逸話が取り上げられている。たとえば、黄帝《こうてい》。暦算・音楽・文字・医薬などの文化を初めて作った、伝説の帝王である。その黄帝が諸神を集合させたところ、鶴が彼の右に舞い、その声が天にまで高々と届いたという故事がある。

また、前漢第十代の皇帝宣帝や、後漢第三代の皇帝章帝の名も挙げられる。宣帝の場合は、宗廟《そうびょう》(祖先の霊を祀った宮殿)を祭った際、鶴が庭に集まってきたという故事がある。ここでは、宣帝と家光、宗廟と東照宮が同一視されることで、家光と東照宮が権威化されていくのである。そうして、羅山は次のようにまとめる。

今を以て之を観れば、則ち其の徳の盛大に、其の孝の深厚なる、高く古昔《こせき》に踰《こ》ゆ。(原漢文)

つまり、家光の為政者としての徳がすばらしく、また祖父でもあり、神にもなった家康への孝が厚いことは、古の中国の皇帝たちをも凌駕するものだというのである。だからこそ鶴は舞い降りたのだ。そのようにして、三代将軍家光の権勢は高められていった。

政治への批判

ここまで述べてきたような、政治的な行事に参加して記録的な文章を記したり、狩猟に参加して献詩したり、武家諸法度を起草したりというような活動からは、将軍権力への追従と言うべき性質が認められると思う。ずっと述べてきていることだが、権力に近づこうとして妥協的にふるまうことは、彼の人生にとって常に不可避の要素として立ち現れてくる。

ただ、だからといって、彼の内面がすべて権力者へのこびへつらいで満ちていたわけではないという例も紹介しておこう。横田冬彦氏が指摘しているように、寛永二十年（一六四三）、六十一歳の時に日枝山王社《ひえさんのうしゃ》祭りを三男の鵞峰とともに見物した時に著した文章には、役人が汚職をし、民衆は飢餓に苦しんでいるにもかかわらず、祭りが質素にならずに例年通り行われることに対して憂え、憤っている羅山の姿が記しとどめられている。『羅山林先生詩集』巻三十一に収められている「山王祭を見る」の詩の序から該当箇所を以下に引く。

> 祭は豊年にも増さず、凶年にも倹せず、是れ礼なり。比年五穀升《みの》らず、物の価踊貴《ようき》す。途《みち》に饑殍（引用者注・餓死者）有るも発くことを知らざるなり。富める者の居貯して以て之を待つ。巨室《きょしつ》の汚《を》吏《り》は其の便を得て、益《ますます》其の高く售《う》りて倉廩《そうりん》（引用者注・穀物倉）の盈《み》ちんことを欲す。況《いは》んや其の民を取ること錙銖《ししゅ》（引用者注・わずかなもの）を尽くし、且つ膏脂を朘ぐをや。奈何《いかん》ぞ民流れ飢へざらんや。（原漢文）

おおよそ右の文章では、近年になって、穀物が実らず、物価が上がって、人々の生活は困窮しており、道には餓死者があふれているにもかかわらず、金持ちは貯えをした上で物価高騰を待っており、

「巨室の汚吏」——先祖代々主君に仕えて権力を持っている家の出身で、不正なことをする役人たち——はますます米の値段を釣り上げて、貧しい民から少しでも多く搾取しようとしている。このままでは、民衆は流浪し飢えて死んでしまうかもしれない。そんな時に、なぜ祭りを質素にしないのかという、羅山の憤りが記されているのである。

このあとの詩でも、「凶年　倹せず　享歆《きやうきん》せんや否や（凶作の年の祭りだというのに質素にしなかったとして、はたして神は喜んで供え物を受けるだろうか）」とある。

このことについては社会的な背景が二つある。一つは、寛永の大飢饉と称される、江戸時代初期最大の飢饉が前年寛永十九年から表面化し始めていたことである。そもそもはさらに数年前の牛疫（牛の病気）に加えて、天候不順が重なり、全国で五万人もしくは十万人とも言われる餓死者を出すに到った。

そんな状況にもかかわらず、寛永十九年には、役人たちによる汚職事件が起こっていた。すなわち米価高騰を引き起こし富商と共謀して買占めを目論んだ幕府の御蔵奉行らが逮捕され、御蔵奉行を含む十七名が斬罪となり、また代官ら四名も切腹、富商たちも流罪となっていたのである。

この祭りは、将軍も上覧しており、羅山の右の様な感想は、一種の体制批判となっていよう。

朝鮮通信使の応接

さて、政治的な活動の最後に、朝鮮通信使の応接について、まとめておこう。

まず朝鮮通信使をめぐるだいたいの経緯についてまとめておく。

秀吉の朝鮮出兵ののち、日本と朝鮮の国交は断絶していた。家康は関係を修復すべく、対馬の領主宗氏に講和交渉を担わせた。宗氏としても、自らの利益のために日朝貿易が再開されることが望ましかった。朝鮮の側でも、後金《こうきん》（のちの清）の脅威に備えるため対日関係を安定させておく必要があった。そのようにして、日朝関係の回復が実現する。結果として、えりすぐりの学者や文化人を朝鮮が日本に派遣する朝鮮通信使が開始されたのである。彼らは日本で大いに歓迎され、日本の漢学者や詩人たちは自分の教養や知識を試す好機と捉え、彼らと交流を持つことを熱望した。まず三度、回答兼刷還使が派遣され、そののち九回通信使が派遣された。羅山に関係あるのは、以下の六回。それぞれ回数と年次、来日の目的を記しておく。

回答兼刷還使《さつかんし》第一回　慶長十二年（一六〇七）修好と、国書に回答して捕虜を連れ帰るため。

　第二回　元和三年（一六一七）大坂の陣の平定を祝し、国書に回答して捕虜を連れ帰るため。

　第三回　寛永元年（一六二四）家光の将軍就任を祝し、国書に回答して捕虜を連れ帰るため。

通信使第一回　寛永十三年　泰平を寿ぐ。

　第二回　寛永二十年　家綱の誕生を祝し、日光東照宮に参詣するため。

第三回　明暦元年（一六五五）家綱の将軍就任を祝し、日光東照宮に参詣するため。

羅山について言えば、回答兼刷還使第一回の時には、使節が秀忠拝謁のため江戸に向かう途中で駿府を通過した際、筆談した。同第二回には、通信使への返簡をめぐる協議の末席に加わっており、滞京中の行動を記した「朝鮮信使来貢の記」を著した。同第三回には、副使姜弘重に『春秋』について質問し、また李誠国と詩を唱和した。

朝鮮通信使

そして、通信使第一回の寛永十三年の時から、羅山は重要な役割を演じるようになる。というのも、国書偽造が露顕する事件が前年に決着したことによって、幕府の国書はそれまで対馬で執行されていたのが、江戸で行われるようになり、それを羅山が担当したからである。寛永十三年十二月二十七日には朝鮮国王李倧《りそう》宛家光書翰を著し、また、井伊直孝・土井利勝・酒井忠勝・松平信綱・阿部忠秋・堀田正盛に代わり、「朝鮮国礼曹に答ふ」も起草した。

ちなみに、国書偽造事件とは、元和三年の国書で「日本国源秀忠」に「王」の字を書き加えて対馬が朝鮮に送り、寛永元年にも「国主」の「主」を削り「王」と改竄したことに起因する。国王の尊号は、足利義満が明の冊《さく》封《ほう》により名乗ったものであるため、幕府としては避けたかったのである。しかし、そのままだと朝鮮に対して角が立つ。そこで、対馬では偽造することとなった。このことは、藩主宗義成《そうよしなり》と家老柳川調興《やながわしげおき》が対立したために露顕したのである。

なお、右のうち、寛永の三回はいずれも家光在任中である。一代で三度使節が来日したのは他に例を見ない。

もう一つ付け加えておくと、仲尾宏氏は、羅山の「朝鮮信使来貢の記」について、朝鮮使節を「朝貢使」扱いしていることを批判している。つまり、日本を朝鮮の上位に置こうとする意識があって、「権力者の立場に立ち、伝統的な日本的中華意識から自由でなかった」というのである。実際そのような負の面もあったろうし、彼の立場としてはやむをえない行為だったとも言えるだろう。

羅山の無理な質問

ところで、寛永十三年の時、通信使に対して羅山が質問した内容の中には、強引なものも含まれている。羅山としては、日本の優越性を示し、将軍に対して得点を稼ぎたいという目論見もあったのだろうが、たとえば、

聞くならく、檀君《だんくん》国を享《う》くること一千余年と。何ぞ其の此《か》くの如く長生なるや。蓋し鴻荒草昧《こうくわうさうまい》、其の実を詳《つまび》らかにせざるか。抑《そもそも》檀君の子孫苗裔《べうえい》は承襲《しようしふ》遠久、此《ここ》に至るか。恠誕《くわいたん》の説は君子取らざるなり。且つ中華歴代の史には、朝鮮三韓伝備《つぶさ》なり。而も皆、檀君の事を載せざるは何ぞや。斉東野人《せいとうやじん》の語を以ての故か。

（原漢文。『羅山林先生文集』巻十四所収「朝鮮国の三官使に寄す」の第一項目）

とあるものなど、どうかと首をかしげたくなる。「檀君」とは、朝鮮の伝説上の始祖。それが千年もの齢を保ったというのはおかしいのではないか。また、中国の歴史書には朝鮮の歴史が詳しく記されているのに壇君のことが全く載っていないのは、それが間違いだからではないのか、と羅山は問うているのである。「斉東野人の語」は、『孟子』万章上にあることばで、愚かで信じるに足りないことを言う。堀勇雄氏が指摘するように、日本の外交使節に対して「古事記や日本書紀に載せる日本の神話には怪誕の話が多い。イザナギ・イザナミ・天照大神・神武天皇などの事蹟が、中国の歴史書に全然見えないのは何故か」などと尋ねるのと等しく、無理な質問と言わねばならない。

当然、通信使の人々も、その質問には答えようとしなかった。それを鵞峰の「羅山先生年譜」では、「朝鮮国の書の中に載する所の疑問数件を掲げて之を示す。之に答ふること能《あた》はず」と勝ち誇ったかのような記述をしているのは、いただけない。

家光も、羅山が些末な点に関する質問をしたことに対しては、もっと本質的なことを聞いてほしいと思ったらしい。『徳川実紀』には、次のようにある。

朝鮮の使臣等来聘せし時、林道春信勝がかの国人と筆語せしに、おほくかの国の事蹟・典章（引用者注・規則）など徴訪せしを（引用者注・家光が）聞《きか》せられ、かゝる事よりは、かしこにては治国の要はいかに心得、仁義忠信の理は何とわきまへたるなど、、とはまほしき事よと仰られしとぞ。

朝鮮の細かい事実や決まりなど聞かなくていいから、「治国の要」「仁義忠信の理」などの大きな事柄を質問してほしいと家光は言ったというのである。勉強秀才がなんとか得点を稼ごうとして躍起になっているのを、苦笑していたというところだろうか。五十四歳になってもそういう性癖は抜けないのである。

2　儒学者としての栄達

驚異的な読書の日々

「羅山先生年譜」の寛永十七年（一六四〇）十二月条には、羅山の読書について、次のように記されている。やや長いが、彼がいかに驚異的な読書の日々を送っていたかを知る上で必要と思われるので、全文を引用したいと思う。（　）内は、私に注記したものである。

本来はそれぞれの書について、その性格を説明していくべきであろうが、あまりに煩雑になるので、ここでは行わない。しかし、以下を読むだけで、羅山の読書に対する情熱は十分感じ取っていただけるものと思う。

今茲臘月《らふげつ》、門生等に謂ひて曰く、「吾老衰すと雖も、然も書を読みて未だ倦《う》まず。今春より歳末に至るまで閲《み》る所の者の殆ど七百冊。汝が輩、勉めよや」と。是を以て毎歳准じて之を知るべし。凡そ少年にして書を読みてより数行倶《とも》に下る。壮歳に至りて弥《いよいよ》頓敏に、老成に至りて益《ますます》神速なり。

是より先、二程全書・邵子《せうし》全書・亀山文集・小学・近思録・伊洛《いらく》淵源録・朱子大全・語類（朱子語類）・性理《せいり》大全《たいぜん》・大学衍義《えんぎ》并《ならび》に補・許魯斎（許衡）・呉臨川（呉澄）が集・薛《せつ》氏が読書録・胡氏（胡居仁）が居業録・蔡虚斎が蒙引・学蔀通弁・異端弁正・困知記等、理学の書、或いは一見し、或いは再見して往往点朱を加ふ。象山（陸象山）・陽明（王陽明）・林兆恩が書の若きに至りても亦《ま》た之を電覧す。老・荘・列・荀《じゅん》・揚・文中子の如き、或いは之を講じ、或いは朱墨を加ふ。其の余の諸子は粗々之を概見す。曾て訓点を陶淵明集に加へ、漢・魏・六朝の文を渉猟《せふれふ》す。李（李白）・杜（杜甫）・韓（韓愈）・柳（柳宗元）・香山《かうざん》（白居易）・樊川《はんせん》（杜牧）・荆公（王安石）・蘇（蘇軾）・黄（黄庭堅）・後山（陳師道）・簡斎（陳与義）が集・文章正宗・宋学士（宋濂）が集の若《ごと》き、往歳既に之を熟覧す。頃年《けいねん》、劉禹錫《りううしやく》集・予章（黄庭堅）全集・揚誠斎（楊万里）全集を写し、其の余の古文苑・芸文類聚《げいもんるいじゅう》・文粋（唐文粋）・文鑑（宋文鑑）・文類及び唐・宋・元・明の諸家は、其の見る所に随つて編を終へずと云ふこと無し。又、嘗て事文類聚《じぶんるいじゅう》全部を再見し朱を加ふ。而も太平御覧《たいへいぎょらん》・広記（太平広記）・文苑英華《ぶんえんえいが》・杜氏通典・白孔六帖・玉海・漢魏叢書・百川学海《ひゃくせんがっかい》・稗編・稗海・曹氏（曹学佺）が十二代詩選（石倉歴代詩選）等の如きの大部、一考再校差有り。兵書に在りては則ち七書《しちしょ》講義・直解（七書直解）・武徳全書等、既に朱点を加ふ。

其の余の講武全書・武備志等、之を点閲す。地理に在りては則ち水経《すいけい》以下、大明一統志・広東通志・西湖志・名山勝水志・閩書等、医書に在りては則ち素問《そもん》・霊枢《れいすう》は王氏（王冰）・馬氏（馬蒔）が両註に拠りて点を加へ、朱を塗りて張氏が類経を校《かんが》ふ。且つ粗々病源論・千金方・三因方・奇効良方・本草綱目・医統正脈等、若干部を閲る。乃ち仏書・禅録等に至りて読過少からず。或いは朱句を加ふる者の有り。倭書の如きは則ち少年にして見る所、猶ほ未だ多からず。壮年以来、諸方に尋ね求め繕写する者の殆ど数車。是れ其の渉猟の万が一なり。且つ四書・五経を講ずる者の数《あまた》たびなり。其の余の佔畢《てんぴつ》は勝《あ》げて計《かぞふ》るに遑《いとま》あらざるなり。（原漢文）

最後に出てくる「佔畢」とは、『礼記』学記にあることばで、真の意味を理解しないで、うわべの文字だけを読むの意で、この場合はざっと読んだくらいのことだろう。

それにしても、おびただしい量の書物を読んでいることに驚嘆する。さらに加えて、その読み方が、すさまじい。「凡そ少年にして書を読みてより数行倶に下る。壮歳に至りて弥頓敏に、老成に至りて益神速なり」――子どもの頃から一度に数行を読み、年齢が上がるにつれて、ますます速くなってくる。速読術を生まれながらにして体得していたとしか思えない、ほとんど神業と言うべき読書法である。

『童観抄』　寛永二年（一六二五）、福知山藩主小出吉英の求めに応じて、羅山は「小冊露抄」という故事要言集を著す。前述した『巵言抄』の姉妹編である『童観抄《どうかんしょう》』となるものである。

この書も、『巵言抄』と同様、同時代や後代の文学作品にさまざまに摂取される、便利なものだった。ただ、その様相については、くだくだしくなるので、ここでは省略することにする。

この時、詠んだ羅山の詩は以下の通り。

縹緗日日開　縹緗《へうしやう》　日日開く
看去復看来　看《み》去りて　復た看来る
掌上一書冊　掌上の一書冊
胸中万巻堆　胸中　万巻　堆《うづたか》し

（『羅山林先生詩集』巻三十二）

私は、書物（「縹緗」）を毎日読み、一冊終えては、また一冊というように次々と読んでいく。手にはいつも一冊の書を携えている。そして、心中には万巻の書物が堆く積み上げられているのである。そのような努力によって、彼の膨大な知識は蓄積され、著述が作り上げられたのだった。

寛永三年五月には、家光の命により『孫子諺解《そんしげんかい》』を著し、同六月には『三略諺解《さんりやくげんかい》』を著して進献していることが、鵞峰の「羅山先生年譜」に記されている。それぞれ『孫子諺解』と『三略諺解』は『孫子』『三略』という代表的な兵書をわかりやすく解説したものである。

これまでもしばしばそうだったように、儒学者としての本道と言うべき四書五経についてだけでなく、こういった兵書の解説も武家側によって要請されており、羅山としては妥協的にそれに従ったのである。

そこでは、国の政を行うに際して、軍隊を統制することが必須の営みであると解釈される。たとえば、『三略諺解』には、次のような一節がある（国立公文書館内閣文庫蔵写本に拠る）。

軍ヲナシ、国ヲオサムルカンヨウハ、諸人ノ心ヲヨク知《しり》テ、本トスベキツトメアリ。軍ト国トハ、事カハルヤウナレドモ、理カハルコトナシ、人々皆一心ナルヲ以テノ故也。

つまり、軍隊を統率する上でも、国を統治する上でも、それを構成している人間の心をよく汲み取って、心を一つに束ねておく必要がある。そういう意味で、軍と国とは同じ原理によって運営されるべきだとすることで、治国平天下を目指す儒学の兵学との共存を図ったということなのである。

ただ、この「一心」というような、心に重点を置く考え方は、先に溝口雄三氏が指摘していたように、羅山の一つの特色となっている。そして、『三略』解釈に関しても、同様な指摘が、前田勉氏によってなされている。前田氏は、次のような一節を引き合いに出して、結局のところ大将一個人の心のありかたが勝敗を分けると説くのは羅山の個人的な解釈であるとするのである。

夫《それ》将ハ国ノ命也。国ノヤスキモアヤウキモ人ノイキルモ死《しぬ》ルモ、大将一人ノ心ナレバ、国ノイノチハ大将也ト云《いへ》リ。将ヨク敵ニカテバ、国家ヤスクサダマル。其将ノ心モチイカヾスベキトナラバ、心ヨク清クヨク静ニスベシ。其《その》法度ヨク平ニヨクト、ノホルベシ。キヨクシヅカナルハ、大将ノ心ヲサダムル処也。平ニト、ノホルハ、大将ノ軍法ヲ正クスルトコロ也。此ノ清静平整ノ四字ハ、大将第一ノカンヨウ也。　（『三略諺解』）

「将ハ国ノ命也」というのは、これを読む家光に対する進言に他ならない。征夷大将軍の心が「清静平整」であれば、日本国は安泰であるという羅山の思いがこめられたものと言える。

『春鑑抄』

寛永六年（一六二九）五月、『春鑑抄《しゅんかんしょう》』という羅山の啓蒙書が刊行された。

これは、儒教の中心的な理念五常――仁・義・礼・智・信について、朱子学の理解に従って、口語調でわかりやすく説明したものである。

むずかしい教義をわかりやすく解説する羅山の才能が発揮された、彼の代表的な解説書と言ってよいだろう。日本思想大系第二十八巻『藤原惺窩　林羅山』（岩波書店）でも、『三徳抄《さんとくしょう》』と並んで収録されている。『三徳抄』も同様の啓蒙書で、『春鑑抄』とほぼ同じ頃に成ったのであろう。

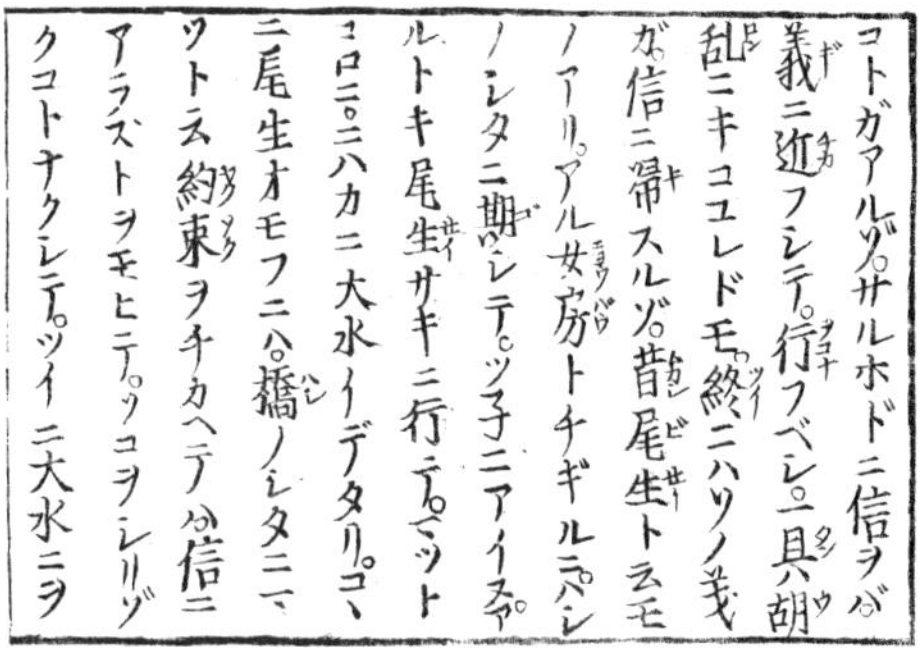
コトガアルゾ。サルホドニ信ヲバ
義ニ近《チカ》フシテ。行《オコナ》フベシ。具胡
乱ニキコユレドモ。終《ツイ》ニハソノ義
ガ。信ニ帰《キ》スルゾ。昔《ムカシ》尾《ビ》生《セイ》ト云モ
ノアリ。アル女房《ニヨウバウ》トチギルテ。ハシ
ノシタニ期《ゴ》シテ。ツ子ニアイス。ア
ルトキ尾生《セイ》サキニ行テ。マツト
コロニ。ニハカニ大水イデタリ。コヽ
ニ尾生オモフニハ。橋《ハシ》ノシタニテ
ワト云約束《ヤクソク》ヲチカヘテハ。信ニ
アラズトヲモヒテ。ソコヲシリゾ
クコトナクシテ。ツイニ大水ニヲ

『春鑑抄』

『春鑑抄』の中から、その雰囲気を知るために、一節を引いておく。「信（誠実。人を欺かないこと）」の説明として、それには「義（道理。道理に叶っていること）」が伴わないといけないと述べ、「尾生の信」という故事を解説しているくだりである。

信バカリヲ守《まもり》テ物ヲチガヘジトスレバ、カヘツテカタヲチニ信ヲ失フコトガアルゾ。（中略）昔、尾生《びせい》ト云《いふ》モノアリ。アル女房トチギルニ、橋ノ下ニ期《ご》シテツネニアイヌ。アルトキ、尾生サキニ行テ待ツトコロニ、ニハカニ大水イデタリ。コヽニ尾生思フニハ、「橋ノ下ニ待ツト云約束ヲチガヘテハ、信ニアラズ」ト思ヒテ、ソコヲ退クコトナクシテ、ツイニ大水ニ溺レテ死ス。コレハ信ヲ知リテ、義ヲ知ラザルモノナリ。義ヲ知ラバ、橋ノ畔ニ退キテ、女房キタラバ、「サテモ、橋ノ下トハ約束シタレドモ、大水ガイデタル故ニ、コヽニアル」ト云ハヾ、信モ義モアルベシ。信ヲバ知リテ義ヲ知ラヌ人ハ、モノゴトニアヤマチアルベキゾ。

なるほど、愚直に誠実さを貫くだけではだめなのだ。とっさの機転をきかせて、よく物事の筋道を理解して行動する必要がある。その上でこそ誠実さにも意味が生じる。つまり、人々の信頼を得るには、きちんと情理を弁え行動することが必要なのである。この発言は、羅山その人もそうだったに違いないと思わせるものがある。

先聖殿の建設

寛永七年（一六三〇）、四十八歳の年末、幕府から羅山に対して、家塾を作るための用地として上野忍岡《しのぶがおか》の地が下賜された。同時に金二百両も学校建設資金として賜ったのである。

その地に、先聖殿《せんせいでん》すなわち孔子廟《こうしびょう》が建てられたのは、約二年後の寛永九年冬のことである。現在の湯島聖堂の起源と見なされる。

将軍から賜った土地に、孔子を祀る建物が作られた。このことの意味は大きい。私的な建物ではあるので限定的だが、いわば儒学が官からお墨付きを得たということになろう。寛永六年に民部卿法印となり、高い地位が保障されたこととも連動している。羅山が家康に初めて拝謁してから二十七年の月日が経っていたが、彼が目指してきた高みにそれなりに辿り着いたと言えるだろう。

徳川義直

先走って言えば、翌年、先聖殿で釈菜《せきさい》という行事が行われたり、そこを家光が訪問したことで、さらに儒教の価値は増したと言えよう。権威化がいっそう促進されたわけである。

ただし、先聖殿建設については、尾張藩主徳川義直《よしなお》（一六〇〇〜五〇）の私的な援助が大きかった。儒学を好み、学問を奨励した義直は、名古屋城内に江戸時代初の孔子廟を建て、羅山に先駆けて、すでに釈奠《せきてん》も行っていた。『徳川実紀』の寛永九年条には、次のようにある。

儒役林道春信勝かねて学校建べしとてたまはりし忍岡の宅地に文廟をいとなむ。尾張大納言義直卿その事をたすけら

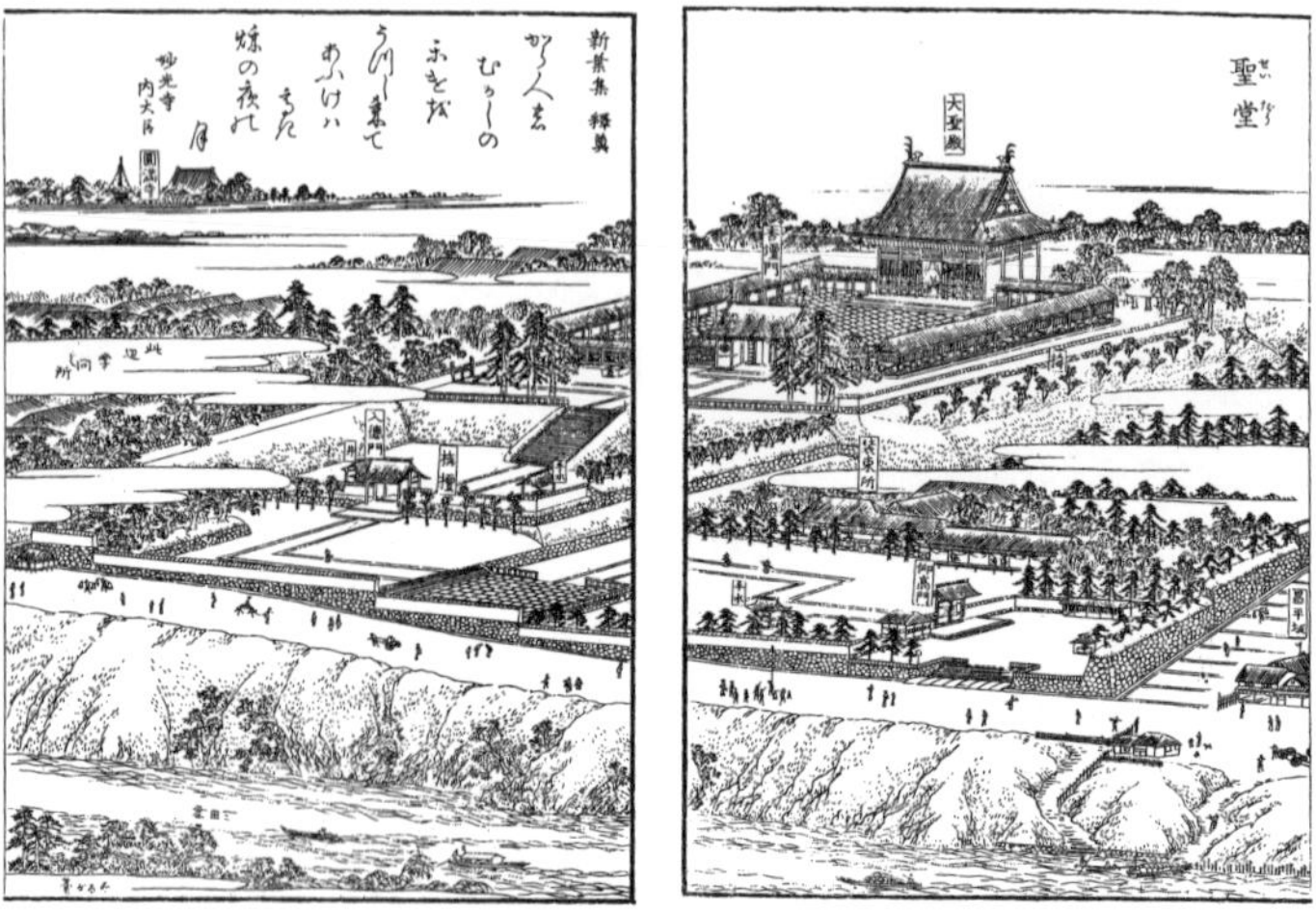

『江戸名所図会』聖堂

れて、聖像幷四配の像、且《かつ》先聖殿の字を書せられ扁額《へんがく》に造り、祭器若干さへよせられしとぞ。

義直が支援したのは建物だけではなかった。「聖像幷四配の像」というのは、孔子像とその周辺に祀られた四人の賢者、すなわち顔子・曾子・子思・孟子の像を言う。それに加えて「先聖殿」の扁額も賜り、そこに配置する祭器もいくつか贈られたらしい。羅山は、「武州先聖殿経始」（『羅山林先生文集』巻六十四）の中で、

> 武州先聖殿は文宣王《ぶんせんわう》（引用者注・孔子の諡）の廟なり。（中略）輪奐翬飛《りんくわんきひ》、日あらずして成る。其の制、他に異なり、尋常宮室の例の若《ごと》きに非ず。我が朝、昔其の名有るを聞くと雖《いへど》も、是の如きの形模《けいぼ》、未だ之《これ》有らざるなり。（原漢文）

と述べ、建物の壮麗なさま（「輪奐翬飛」）を自賛している。

釈菜と「歴聖大儒像」の制作

そして、寛永十年（一六三三）二月には初めて先聖殿で釈菜《せきさい》が行われたのだった。

釈菜とは、略式の釈奠《せきてん》のこと。釈奠は、孔子や儒教の先哲を祭るもので、儒教にとって最も重要な行事であるが、牛や羊などではなく蔬菜《そさい》（野菜）を供えるのが釈菜である。

釈奠は、日本でも大宝元年（七〇一）に始まり、平安時代に恒例化したが、室町時代に途絶えてい

『名所江戸百景』昌平橋・聖堂・神田川

『絵本江戸土産』五編　昌平橋・聖堂

湯島聖堂釈奠図

た。元和十年には、徳川義直が復活させているのだが、羅山の釈菜は将軍家お膝元の地、しかも将軍から賜った土地での復興という点で、義直のそれよりも史的意義は大きいと言える。

そして、儀式の際に礼拝の対象として用いようというので、寛永九年に狩野山雪《かのうさんせつ》（一五九〇～一六五一）が羅山の依頼によって中国の聖人・儒者ら二十一人の肖像を一幅ずつに描いたものが、先聖殿に納められた。いわゆる「歴聖大儒像」と称されるものである。

描かれた二十一人とは、伏羲《ふっき》・神農《しんのう》・黄帝・堯《ぎょう》・舜《しゅん》・禹・湯王・文王・武王・周公という十人の聖人と、孔子と顔子・曾子・子思・孟子ら四人の弟子たち、それに周子（周敦頤）・程伯子（程顥）・程叔子（程頤）・張子（張載）・邵子（邵雍）・朱子（朱熹）ら宋代の儒者六人である。これら二十一人の選択が、儒学を修める者にとって最も尊敬すべき存在であるという価値基準のもとでなされたことは言うまでもない。

なお現在、その現物は、宋代の儒者六人の部分のみ筑波大学附属図書館の所蔵となり、それ以外は東京国立博物館蔵となっている。

画者山雪は、狩野山楽の養子で、永納の父である。「歴聖大儒像」以外にも、「藤原惺窩閑居図」（根津美術館蔵）を描くなど、儒学者たちとの交遊はよく知られている。他に代表作として「雪汀水禽図屛風」などがある。羅山よりも七歳年下だった。

そして、羅山が山雪にこの肖像画を依頼した経緯は、羅山の子鵞峰の「狩野永納家伝画軸の序」という文章によってよくわかる。

寛永年中、我が先人羅山叟、聖堂を武州忍岡に創営す。時に歴聖大儒の像を図かして以て聖堂の文庫に納めんと欲して、杏庵《きょうあん》正意と議して、其の技に堪えたる者を択《えら》ぶ。男山の僧昭乗《せうじょう》は此の芸を以て一世に鳴る者なり。先人と方外の交はり有り。身老いて自ら筆すること能はざるを以ての故に、山雪を推挙して曰く、「狩野縫殿助《ぬひどののすけ》択に応じて可なり」。乃《すなは》ち之に請ひて、伏羲より文宣王に至るまで十一聖、顔曽思孟、及び周子・二程・張・邵・朱子総て二十一幅を図す。今伝へて忍岡の文庫に存す。釈菜有る毎に聖堂の両廡《りやうぶ》に陳設す。人人、観る所なり。（『鵞峰文集』巻八十六）（原漢文）

「歴聖大儒像」の制作を画家に依頼しようとした羅山は、尾張藩の儒者で惺窩の門人でもあった堀杏庵（一五八五～一六四二）と相談の上、羅山と親交のあった松華堂昭乗《しょうかどうしょうじょう》（一五八四～一六三九）にまず依頼した。しかし、昭乗は老齢のため辞退し、代わりに狩野山雪を推挙したのだった。山雪筆の

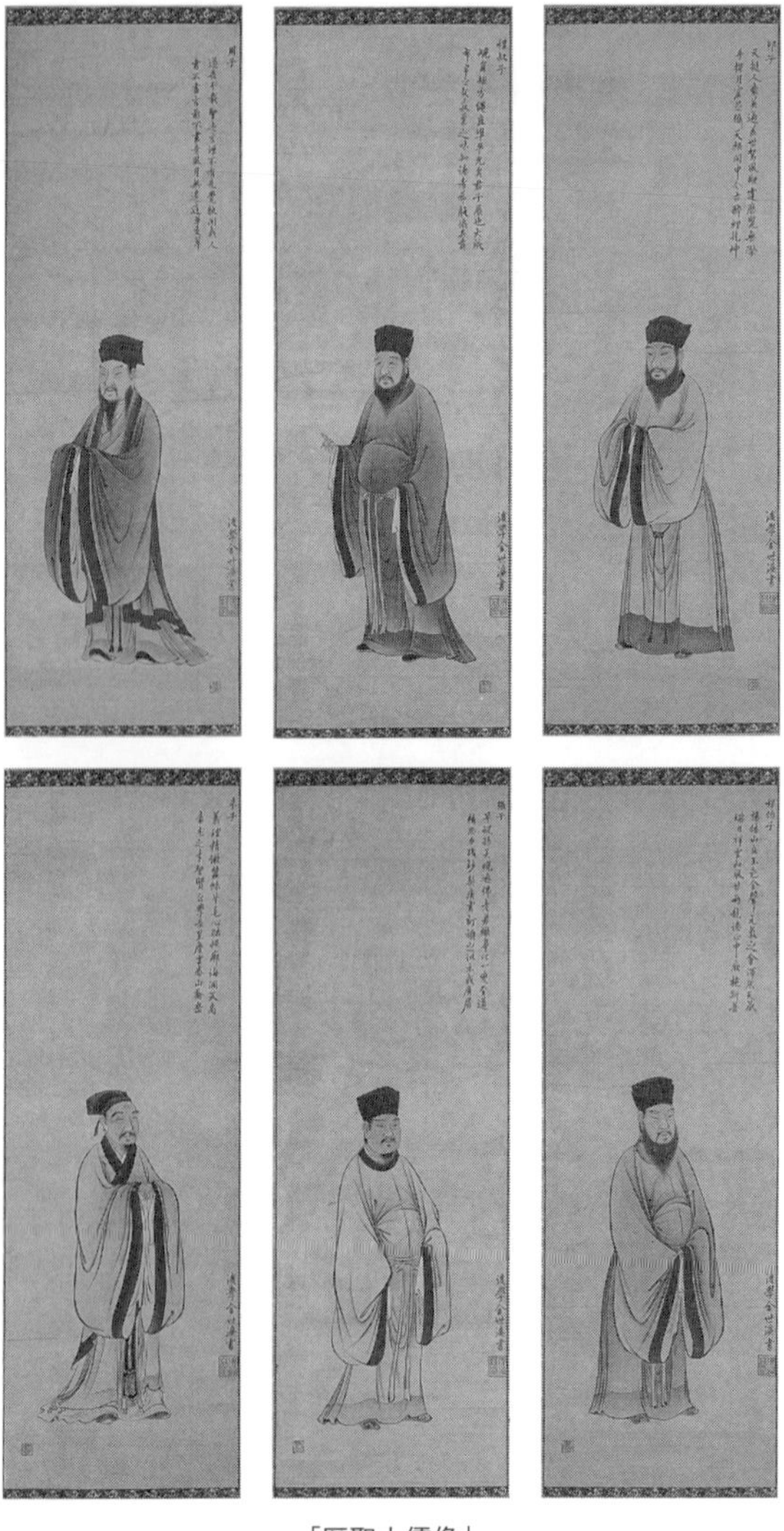

「歴聖大儒像」

画像は先聖殿の文庫に納められ、釈菜のたびに聖堂の「廡（ひさし）」に掲げられた、というのが右の梗概である。

杏庵と相談しながら事を進めているところからは、先聖堂建設の際に徳川義直の助力を得た背後に、杏庵の働きがあったことも推測される。松花堂昭乗は、石清水（男山）八幡宮滝本坊の社僧で、画に長じている以外に書でもよく知られている。その水墨画は特に茶席で重んじられた。

なお、儒像制作の動機は、前述したように釈菜に用いるためであり、そもそも中国のそれに倣ってのことであった。儒学を信奉する者にとって、最も晴れの儀式において指標となる人物の肖像画を拝する行為にはどのような意味があるのだろうか。まず、肖像により、その人物のイメージを具体的、映像的に把握することができる。それによって、その人物の生きた時代とその思想への一体化が促進されやすくなる。そして、そこから生じる最も重要な効果は、気持ちの集中と深まりという点だろう。このことは、釈菜においてのみならず、人麻呂影供《えいぐ》や黄檗僧の肖像（主に隠元隆琦《いんげんりゅうき》）に対しての精神とも通底するものなのだということも付け加えておきたい。

さらに、「歴聖大儒像」には、賛も記されている。これは寛永十三年に朝鮮通信使として来日した金東溟（世濂）の書で、やはり羅山が依頼したものであった。先に記したように、羅山は幕府に仕えている間、何度も通信使と面談する機会があり、この時も折衝に当たった羅山が、先人の作った賛を記すよう、副使の役にあった金東溟に頼んだのである。『羅山林先生文集』巻六十四には「聖賢像軸」という一文があり、やはり依頼した経緯がよくわかる。

寛永丙子季冬、朝鮮の信使通政大夫白麓任、絖通訓大夫東溟金世濂、通訓大夫青丘黄戻、来聘《らいへい》す。之を叩けば、則ち僉《みな》云ふ、「東溟は儒者なり」と。故に吾が家蔵むる所聖賢図像二十一幅を以て、図の上に書せんことを請ふ。是に於いて古語并びに旧賛を表出し、其の軸に副《そ》へ、以て之を遣す。金世濂遂に書して之を返す。以て家珍と為《す》るに足れり。聊か焉《これ》を記して他後の証と為す。

「以て家珍と為るに足れり」とあるところからも、羅山が金東溟の賛が入ったことをいかに誇らしく思っていたかがうかがわれよう。

家光、先聖殿に参詣

寛永十年七月十七日、将軍家光は先聖殿に参詣した。その家光に対して、羅山は『尚書《しょうしょ》(書経)』を進講し、白銀五百両を賜った。『徳川実紀』同日条には、次のようにある。

東叡山にならせ給ひ(中略)、御かへさに儒臣林道春信勝が忍岡の学寮によぎらせ給ひ、先聖殿にわたらせられ聖像御拝あり。こと更信勝に仰せて尚書堯典をも講ぜしめられ、信勝に銀、永喜信澄に時服かづけ給ふ。

家光は東照宮へ赴いた帰り道に立ち寄ったので、直接この先聖殿を目指してきたわけではなかった。とはいえ、やはりこの事実は、公から権威を与えられたという意味で重要だったと言える。

先聖殿その後

先聖殿は火事のため、元禄三年（一六九〇）に湯島の地に移される。湯島移転に伴い、林家が大学頭となり、官学としての昌平黌《しょうへいこう》が成立した。寛政九年（一七九七）には昌平坂学問所と改称され、人材が集まるようになる。しかし、明治三年（一八七〇）に休校、廃絶となった。

釈奠の方は、元禄四年から行われ、そののちも春秋二度、欠かさず行われた。天保五・七年（一八三四・三六）に刊行された『江戸名所図会』には、

台命あって今の地に遷《うつ》させられ、御造営有《あり》しより已降《このかた》、春秋二度の釈奠怠ることなし。公はさらなり、国々の列侯《れっこう》より献備の品ありて、いと厳重に執《とり》行はる。儒宗林祭酒《じゅそうりんさいしゅ》（引用者注・大学頭の唐名）世々是を司る。本邦第一の学校にして実《まこと》に東都の一盛典なり〈寛政の今御造営ありて結構《けっこう》昔に倍せり〉。釈奠二月・八月上《かみ》の丁《ひのと》の日に行はる。此日宋六君子《りくくんし》の画像を掛らる。従祀《じゅうし》〈程明道・程伊川・邵康節・張横渠・周茂叔・朱文公〉。

とあり、この儀式が江戸時代を通して営々と続けられたことが知られる。明治維新の頃にいったん廃絶したものの、明治四十年に復活し、以降は毎年四月の第四日曜日に行われている。

神儒合一

本節の最後に、神道との関係について言及しておこう。

慶長年間に記した「随筆二」（『羅山林先生文集』巻六十六）第十三条の中で、羅山は次の

ように述べている。

或る人問ふ、「神道、儒道と如何ぞ之を別たん」と。曰く、「我より之を観れば、理は一のみ。其の為《わざ》、異なるのみ。（中略）嗚呼《ああ》、王道一変して神道に至り、神道一変して道に至る。道は吾が所謂儒道なり。所謂外道《げどう》に非ず。外道は仏道なり。仏者、仁義の路に充塞す。悲しいかな、天下の久しく夫《か》の道無きこと」と。

要するに、我が国古来の神道と中国の儒教とは本来同一のものであり、仏教はそれとは異なるものとして斥けられるべきであるという主張なのである。

正保元年（一六四四）に大老の酒井《さかい》若狭守忠勝《ただかつ》（一五八七〜一六六二）のために著した『神道伝授』では、羅山のいわゆる理当心地神道《りとうしんちしんとう》について記されている。その最も重要な点を以下に列記しておこう。

・神ハ形ナシトイヘドモ、霊アリ。気ノナス故也。一気ノ萌《きざさ》ザル時モ、萌《きざ》シテ後モ、此理本ヨリ有テ、音モナクニホイモナシ。始モナク終モナシ。キヲ生《しやうじ》、神ヲ生ズルイハレハ即是理也。真実ニシテアラユル事ノ根源也。イタンニハ此理ヲ不ㇾ知《しらず》。（三十五「神之理」）

・神ハ天地ノ根、万物ノ体也。神ナケレバ天地モ滅《ほろび》、万物不ㇾ生。人ノミニアハ命也、魂也。五行ヲ具《そなへ》テ不レ分、万物ヲ含ミ一トス。此根有故ニ人モ生《うまれ》、物モ生《うまる》。若《もし》根本ナクバ、人モ物モ不レ可レ生。空ニヒトシクシテ不レ空、虚ニシテ霊也。　（六十六「神之根本」）

・神道ハ即理也。万事ハ理ノ外ニアラズ。理ハ自然ノ真実也。然ニ或説ニ理ニナヅムハ理ノ障《さはり》也トテ、却テ以《もって》心ノ障リトス。只《ただ》是世間ハ、華開華落、時節到来ノ因縁《いんねん》也ト受用スベキ。此説高ヤウニ聞ユレドモ、根本ノ理ヲ不レ知シテ、却理障《かへつてりをさはり》トシ、唯是人間万事、時節到来マデ也ト思ハ、神道ノ本意ニアラズ。理ニナヅムハサ、ハリ也ト云モ、理ノ中ニアリ。時節到来ノ因縁ナリト云モ又理ノ中ニアリ。正理ヲトリ誤テ、却《かへつて》理トスル也。古今ノ間移易、時節到来ハ是又定常ノ理ノ外ナランヤ。此理ヲ知《しる》ヲ神道トス。　（六十七「神理受用事」）

右のことを大雑把にまとめてしまえば、羅山は朱子学における理（万物の根本原理）と気（理から派生する個々の物質的特性）の関係を、神道に当てはめて、儒教と神道がいかに共通しているかを述べた上で、そこから外れる仏教を批判していると言えよう。いわば、神道を味方に引き入れることで日本人にとっての儒教の位置を高めようとしているということである。前代まで強固に築かれていた神仏習合に対する儒学側からの反論とも言いうる。

具体的に見て行くと、神道もしくはそこで信じられている神は、朱子学で言うところの理だと解釈されている。それは、六十七条の冒頭で「神道ハ即理也」と端的に述べられている。三十五条の、「神ハ形ナシトイヘドモ、霊アリ。気ノナス故也」からは、神＝理、霊＝気のように読めるが、「キヲ生、神ヲ生ズルイハレハ即是理也」だと、理が気＝神を生むと読めて、矛盾があるように感じられるが、いずれにしても、神道の神は理気説によって説明できるという考えが提示されているわけだ。六十六条では、神こそ万物の源だという考えが示され、これは日本古来の信仰に儒学者として敬意を示しているとも取れるし、また六十七条で、そのゆえに理と神は同一だと断定する根拠の提示とも取れる。六十七条では、右のようないわゆる理当心地神道の考えが示された後、理に対して懐疑的で、むしろ「時節到来ノ因縁」要するに因果論こそが正しいという或説（言うまでもなく仏教の思想）が誤っていると指摘する。仏者が言うところの因縁も結局は儒学の言うところの理の内にあるものに他ならないというのである。

なお、羅山の言う神道とは天皇統治のそれであって、すべての神道を支持したわけではない。「理当心地神道、此神道即王道也」（十八「神道奥儀」）なのであった。

同じく羅山の著作である『本朝神社考』の序でも、「夫れ本朝は神国なり」とした上で、神仏習合を否定的に捉え、

庶幾《こひねが》はくは、世人の我が神を崇《あが》めて彼の仏を排せんことを。然れば則ち国家上古の淳直《じゅんちょく》に復し、民俗内外の清浄を致さん。亦た、可ならざらんや。（原漢文）

と結んでいる。同書の内容は、怪異的な内容も含み込み、文学的な素材を提供したという点で後に触

れたいが、ここでも神儒合一の例として掲げておくことにする。

3　系図・歴史書の編纂

寛永十八年（一六四一）、五十九歳の二月七日、羅山は幕府の系図編集を命ぜられる。二年後に、『寛永諸家系図伝《かんえいしょかけいずでん》』として完成するものである。その工程をあらあら述べると、翌十九年三月十日、最岳元良（南禅寺二百七十四世）・堀杏庵・人見卜幽・辻端亭（以上の二人は羅山の門人で水戸藩に仕えた）・立詮（高野山興山寺第四世。行人頭）・大橋重政（将軍家の右筆）・小島重俊や五山僧らが加わり、寛永二十年九月二十五日に、完成したものを奉行の奏者番太田資宗《すけむね》が家光に進覧したのである。仮名本と真名本《まな》があり、それぞれ

『寛永諸家系図伝』

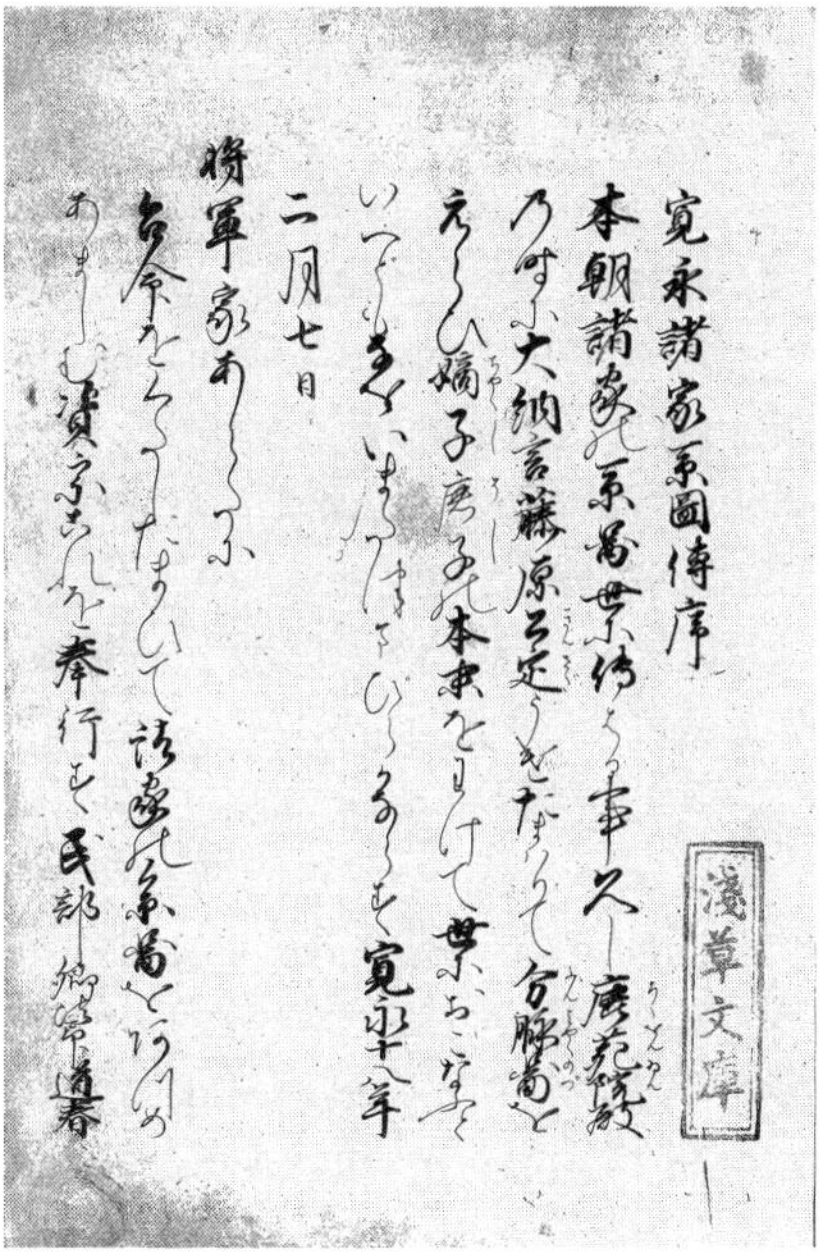

『寛永諸家系図伝』

の献上本は現在国立公文書館内閣文庫と日光東照宮に所蔵されている。

本書はまず、徳川幕府が武家の棟梁として初めて編集した系図として意味がある。言い換えると、諸大名の系譜を編集する作業を幕府が行ったことで、支配者としての地位をいっそう確立したことになる。

また、純粋な歴史資料としても貴重である。

太田資宗の記した序文によって、さらに詳しい成立過程が知られる。

それによれば、まず「諸大小名・御譜代・御近習・御番衆等およそ恩録をかうぶるもの、大小となくみな其家譜をさゝぐるもの数千人」であり、それらを羅山と三男鵞峰が見て、真偽を判断した。作業があまりに煩雑なので、先に述べたように一年後人員が増加される。京都五山の僧侶たち十七人も召集されて江戸に来ることになった。羅山と鵞峰は清和源氏の部（立詮も補助）、最岳元良と五山僧は藤原氏の部（大橋重政補助）、堀杏庵は諸氏の部、人見卜幽・辻端亭は平氏の部（小島重俊補助）というように分担し、「其外草案をつくり浄書にあづかるもの、数十人におよ」んだという。最後の部分は、すべて引こう。

かくのごときの大部なる事、本朝のむかしよりいまだきかざるところなり。誠に太平御一統の御時にあらずは、いかでかこゝにいたらんや。諸家其《その》官禄をしる時は、御恩のあつき事をわすれず、其勲功をのする時は、先祖のつとめをおもふべし。しかれば、忠孝の道、無窮《ぶきう》の徳とともに、千万世の後までたれかあふぎたてまつらざらんや。

このように大部の系図編纂がなされたことの意義を述べ、徳川家の恩徳を強調し、またその永遠性を寿ぐという内容で結ばれている。まさに支配者としての地位が肯定されているのである。

この時期、羅山は歴代の将軍家譜《しょうぐんかふ》を矢継ぎ早に編纂してもいる。

将軍家譜

寛永十八年八月に『鎌倉将軍家譜』が成り、そのあとも同年十月には『京都将軍家譜』が、同年十二月には『織田信長譜』が、さらに十九年二月には『豊臣秀吉譜』が成立している。

もっとも、羅山は多忙であったため、『鎌倉将軍家譜』『京都将軍家譜』『織田信長譜』については鵞峰が、『豊臣秀吉譜』については四男読耕斎が担当したらしい。ただ、読耕斎はこの時まだ十九歳なので、羅山の述べるところを読耕斎が筆記したのではないかとも考えられている。

右四書は、羅山が没した翌年の明暦四年（万治元年・一六五八）に京都の書肆荒川四郎左衛門から刊行された。

これらの将軍家譜も幕府の命によって成ったものではあるが、そういった公の目的以外に、この時期の（あるいはそれまでずっと）羅山には歴史的な事象や過去の時間の流れ全体を知りたいという願望があって、そのこともこれらの事業の達成に反映されていると思う。

逆に言うと、過去の出来事を秩序立てて理解し、世界全体を余すところなく摑もうとする羅山の性向を発揮するのに、系図・歴史書の編纂は格好の対象であったろう。

『本朝編年録』

正保元年（一六四四）春、羅山は国史編修の命を受ける。

それに対して、同年十月十四日、『本朝編年録』神武紀から持統紀まで（鵞峰起草分を含む）と『本朝王代系図』を早速献上した。『旧事紀《くじき》』『古事記』『日本書紀』を主として七十余部の書物を参照して記述されたものであった。

さらに翌年、文武紀から淳和《じゅんな》紀までが読耕斎の助力によって完成する。『日本後紀』『類聚国史《るいじゅうこくし》』『類聚三代格《るいじゅうさんだいきゃく》』などが資料となっている。

その五年後の慶安三年（一六五〇）には仁明《にんみょう》紀から宇多紀までが完成し、将軍に献上された。ただし、この部分は羅山が病気のため、不十分なところがあった。

以上の稿本は、国立公文書館内閣文庫に所蔵されている。

醍醐紀以降は、さらに資料を収集する必要があったので、ここでしばらく中断することになる。そうこうしているうちに、慶安四年に家光が没し、明暦三年（一六五七）には羅山が没してしまう。

このあと、寛文二年（一六六二）に鵞峰が『本朝編年録』編修の継続を命じられ、寛文十年に『本《ほん》朝通鑑《ちょうつがん》』として結実するのであるが、それはもう羅山が没したあとのことなので、本書では詳しく触れずにおく。

以上述べてきた一連の系図・歴史書編纂について、その意義をまとめておく。

すでに指摘したように、幕府の支配者としての立場をより強固にしたこと、羅山の包括的な知識欲を満足させるものだったこと、に加えて、さらに大きな時間意識に関わる点でも意義があったということも強調しておきたい。

三谷博氏は、古典の発見や国語への関心の高まりをナショナリズム形成の動因として指摘する、ベネディクト・アンダーソンの『想像の共同体』（一九八三年）を援用しながら、十七世紀後半の日本において、これまでの歴史が相対化されたことの重要性を指摘しているが、私としては十七世紀の前半に羅山らによってこのような歴史資料の整理があってこそ、そのような事態も招来されたのであると理解している。つまり、羅山が系図・歴史書を編纂したことで、過去のいつの時点で何があったかについての認識が明確化され、人々の時間意識をより鮮明にしていった。そのようにして、日本とは何か、どのようにして今の日本になったか、そういった関心が広く醸成されていく先に、ナショナリズムの形成もありえたのである。

第六章　文芸活動、そして家族

1　文芸活動

詩の贈答

羅山の詩作品については、必ずしも評価は高くないのだが、膨大な量が残されている。新しい時代の始まりにおいて、これだけの量の作品を詠んだだけでも価値があるし、今後さらに細かく表現を検討していくことが必要であろう。特に室町時代後期から江戸時代前期にかけて、やや長めに射程距離を取ってみると、両方の時期の特質を兼ね備えていて、その史的意義の大きさに気付かされるように思う。

割合としては、諸大名に対して詩を贈答したり、大名の所有する物品に関して詩を作ったりしたものが多い。漢学の知識を盛り込み、相手の好学心や自尊心を満たしつつ、人間関係を円滑に築き上げていくことが求められていたのである。

ここでは、詩の贈答に関する典型的な例を一つ挙げておきたい。

戊子の歳、八雲軒君七夕倭歌の末字を撮《つ》む
倭詠吟成七夕詞　倭詠　吟成す　七夕の詞
雲間邂逅有心期　雲間　邂逅《かいこう》　心期有り
羽衣閃閃鵲橋上　羽衣　閃閃《せんせん》　鵲橋の上
風自天孫仙袂吹　風は天孫の仙袂より吹く
（『羅山林先生詩集』巻二十二）

「戊子」は慶安元年（一六四八）、羅山六十六歳である。「八雲軒君」とは、脇坂安元《わきさかやすもと》（一五八四〜一六五三）のことで、信濃飯田藩主であり、号を八雲軒と言った。「倭歌の末字を撮む」とは、和歌の最後の一字を韻に用いて、詩を詠んだということである。

この時、安元が詠んだ和歌は、「七夕」の題で、

ひこぼしのさすさほふねの天の川やそのわたりの風ふくな努《ゆめ》
（『八雲藻』）

である。歌意は、彦星が棹をさして小さな船を進めていく天の川なのですから、どうか今夜二人が逢瀬をする多くの渡しには、風よ決して吹いてはなりません、ということ。「風吹くなゆめ」は、『万葉

集』巻七の「佐保山をおほに見しかど今見れば山なつかしも風吹くなゆめ」（作者未詳）の五句目を摂ったもの。

そして、羅山は安元の和歌の五句目にある「吹く」を結句の最後の一字に用いて漢詩を詠み、唱和しているのである。羅山の漢詩は、

七夕に因んだことばを用いてお詠みになった和歌が完成した。
雲の間で久々に出逢った二人の心には、期するところがあった。
羽衣はひらひらとしてかささぎの渡す橋の上に見え、
風は織女の袂から吹いてくるのである。

といった意味だろうか。「閃閃」は、ひらめくさま。あなたは、風を恋人たちの逢瀬を邪魔する悪者のようにおっしゃいますが、風は織姫の袂から吹いてくるのですよ、そんなに悪く言ってはいけません、というふうに、上手に切り返している。相手に対して機知的に詠むことのできる即興性や当座性は、羅山の詩の一つの価値である。

『狐媚鈔』

さてここからは、寛永を中心とする、羅山のさまざまな文芸活動について見ていこう。

寛永九年（一六三二）七月十二日には、『狐媚叢談《こびそうだん》』という、狐に関する怪異ばかりを集めた、中国明の万暦（一五七三〜一六二〇）に刊行された短篇集を書写し、朱点を施している。羅山に

とってかなり近い時代の刊行物であり、それをいち早く読んだということなのであろう。『狐媚叢談』は、中国宋代に成った伝説・説話集『太平広記《たいへいこうき》』と同内容のものが多い。羅山が読んだ刊本は、国立公文書館の内閣文庫に現在も所蔵されている。

そして、羅山はその内容を抄訳した『狐媚鈔《こびしょう》』という書も作成している。中村幸彦氏の指摘の通り、『羅山林先生文詩集』「編著書目」には、寛永末に、家光御不例を慰めるため、『仙鬼狐談（仙談・鬼談・狐談）』『恠談《かいだん》』（後述）を著したとある、その『狐談』が『狐媚鈔』に当たるのであろう。『狐媚鈔』は、現在島原松平文庫に写本が存するのみ。西日本国語国文学会翻刻双書によって、本文を読むことができる。

その抄訳の仕方は、『狐媚叢談』と照らし合わせてみると、じつに的確で、漢籍に造詣の深くない者にもわかりやすくする配慮が行き届いている。羅山の啓蒙家としての才能がよく発揮されていると言えるだろう。時々、自分の考えや感想を付け加えた箇所も見られる。たとえば、「弥勒仏《みろくぶつ》」という、狐が弥勒仏に化けていたのを、博学の僧服礼という人物によって見破られたという話では、最後に、

世上狐ノ弥勒多カルベシ、服礼ガ如《ごと》ナル人ニアハザル故ニ、其バケアラハレズ。

と記したのは、羅山である。「世上狐ノ弥勒多カルベシ」とは、怪異を指しての謂いではなく、当時の仏教のありかたに対する批判がこめられていよう。

羅山には、もともと怪への志向があった。また、怪異譚のような人々の興味を引く内容を語って主人の病気療養に一役買うのも、御伽衆としての活動の一環である。そういったことによって本書の成立が促されたのであろう。この点については、さらに『本朝神社考』や『恠談』に言及するところで詳述したい。

『本朝神社考』

次に、寛永十年代後半に成立・刊行されたと考えられる『本朝神社考《ほんちょうじんじゃこう》』について取り上げたい。この書は、神儒合一を目指したものであり、儒学者としての活動のところで論じてもよかったかもしれない。ただ、下巻（巻五・六）に記されている怪への志向といった側面から、あえて文芸活動のところで取り上げてみた。

本書は、書名の通り、全国にある神社の由来を記したもの。次項で述べるように、羅山のさまざまな能力が発揮された、実に便利な神社の案内書となっている。

上巻は、二十二社。すなわち、伊勢神宮や石清水八幡宮など、平安時代以来朝廷から特に崇敬されるようになった二十二の神社。中巻は、その他の有力な神社。下巻は、伝説上の事項が多い。

注目すべき論点を二つ指摘しておきたい。

一つは、先に述べたように、この書は神儒合一を証明するために書かれたものだということである。理当心地神道《りとうしんちしんとう》という羅山の理論に基づいて、神道の権威を借りて儒教の存在意義を高めようとしている。本書序には、次のようにある。

夫《そ》れ本朝は神国なり。神武帝、天に継ぎて極を建てし已来、相続《つ》ぎ相承《う》けて、皇緒絶えず。王道惟《これ》に弘まる。是れ我が天神の授くる所の道なり。中世寖く微《かす》かにして、仏氏、隙に乗じて、彼の西天の法を移して、吾が東域の俗を変ず。王道既に衰へ、神道漸く廃る。（原漢文）

つまり、日本人にとっての王道である神道はずっと受け継がれてきたけれども、中世に到って仏教と習合し、神道も衰えてしまったというのである。羅山からすれば、

夫れ仏は一黠胡にして、夷狄《いてき》の法なり。神国を変じて黠胡の国と為すは、譬《たと》へば喬木を下りて幽谷に入るが如し。君子の取らざる所なり。（『本朝神社考』巻二・日吉）

という仏教を、神道から引き剝がし、儒教の側に神道を持って来ようとするために本書は編まれたのである。「黠胡」とは、わるがしこい異民族の意。仏教を罵って言った。仏教批判の部分をもう一か所挙げておこう。巻六の「僧正《そうじょう》が谷」のところでは、

又沙門《しゃもん》の慢心及び怨怒《ゑんど》有る者、多く天狗の中に入る。所謂《いはゆる》伝教、弘法、慈覚、智証等皆是れなり。

として、最澄・空海・円仁《えんにん》・円珍といった有名な高僧を天狗呼ばわりしているのである。

もう一つは、『論語』述而篇にある、「子、怪力乱神《かいりきらんしん》を語らず」という記述との矛盾である。すなわち、先に述べたように『本朝神社考』下巻（巻五・六）には、かなり「怪力乱神」に属するものも見られるのである。以下、項目名を列挙してみよう。

厩戸皇子《うまやどのおうじ》	片岡飢人	山背大兄王《やましろのおおえのおう》	太秦《うずまさ》	大荒明神
浦嶋子	雷岡	道場法師	法道	久米
善仲	陽勝	白箸翁	生馬《いくま》仙	藤太主
浄蔵	千方	鈴鹿翁	清水	将軍塚
反橋《もどりばし》	俵藤太《たわらとうだ》	神田	景政	嫗巓《うばがたけ》
為朝	朝夷名《あさいな》	櫛田	新田明神	三保
久能《くの》	塩竈（以上、巻五）			
神泉苑	竹生嶋	江嶋	僧正谷	鼠禿倉
絵馬神	鷲宮	日向《ひなた》山	馬鳴明神《まなりのみょうじん》	伏見翁
臥行者	乙護法	八所御霊	舎利尼	玉藻前《たまものまえ》
晴明	泰親	柿本人丸	喜撰《きせん》	業平
小野篁《おののたかむら》	都良香《みやこのよしか》	天橋立	伊賦夜坂	姫嶋
下樋山《したひの》	牛窓	夢野	五岳	天香山（以上、巻六）

雰囲気を味わうため、「浦嶋子」の一節を以下に挙げておく。

浦嶋子《うらしまのこ》が伝及び扶桑略記に載す。雄略帝の時、丹後の国与謝の郡、水江浦嶋了と云ふ者有り。亀を水江に釣る。化《か》して女と為る。是に於いて、浦嶋子、女と常世《とこよ》の国海神の都に到る。蓋《けだ》し龍宮なり。浦嶋子老いず死せず。其の後、故里に帰りて父母を省んと欲す。時に神女玉匣《たまくしげ》を授与へて曰く、「再び此《ここ》に来《きた》らんと欲せば、必ず斯《こ》の箱を開くこと勿《なか》れ」。浦嶋子、郷に還りて之を見るに、知れる者一人も無し。驚怪して人に問ふ。人答へて曰く、「聞く昔浦嶋子と云ふ者海に遊びて遂に返らず」と。是に於いて始めて知る、其の蓬莱《ほうらい》に到ることを。急に将に神女の所に赴かんとするに、向の海何の許《もと》に在ると云ふことを知らざるなり。浦嶋子、惘然《もうぜん》として之を憂ふ。神女の言を忘れて少しく玉匣を開く。紫雲忽ちに出でて常世の国に竅《くら》く、浦嶋子大いに悔ゆ。其の皃俄《かほ》に老翁と為りて遂に死す。時に天長の二年なり。雄略の御宇より此に至りて蓋し三百四十余年と云ふ。

この神仙譚の色合いが濃い浦嶋伝説をはじめとして、たとえば陰陽師安倍晴明が十二神将を隠しておいた一条反橋の話、鳥羽天皇をたぶらかそうとして陰陽師の安倍氏に見抜かれ、那須野に逃げて殺生石となった玉藻前の話など、下巻の内容には、神儒合一に特に必要ないものも多い。高羅山の神儒合一の姿勢については、堀勇雄氏が「怪力乱神を語らぬ儒学に神秘の霊力を付与して高価に売付けるべく、神道の衣裳を着せた」という考えを示している。これを『本朝神社考』の下巻の

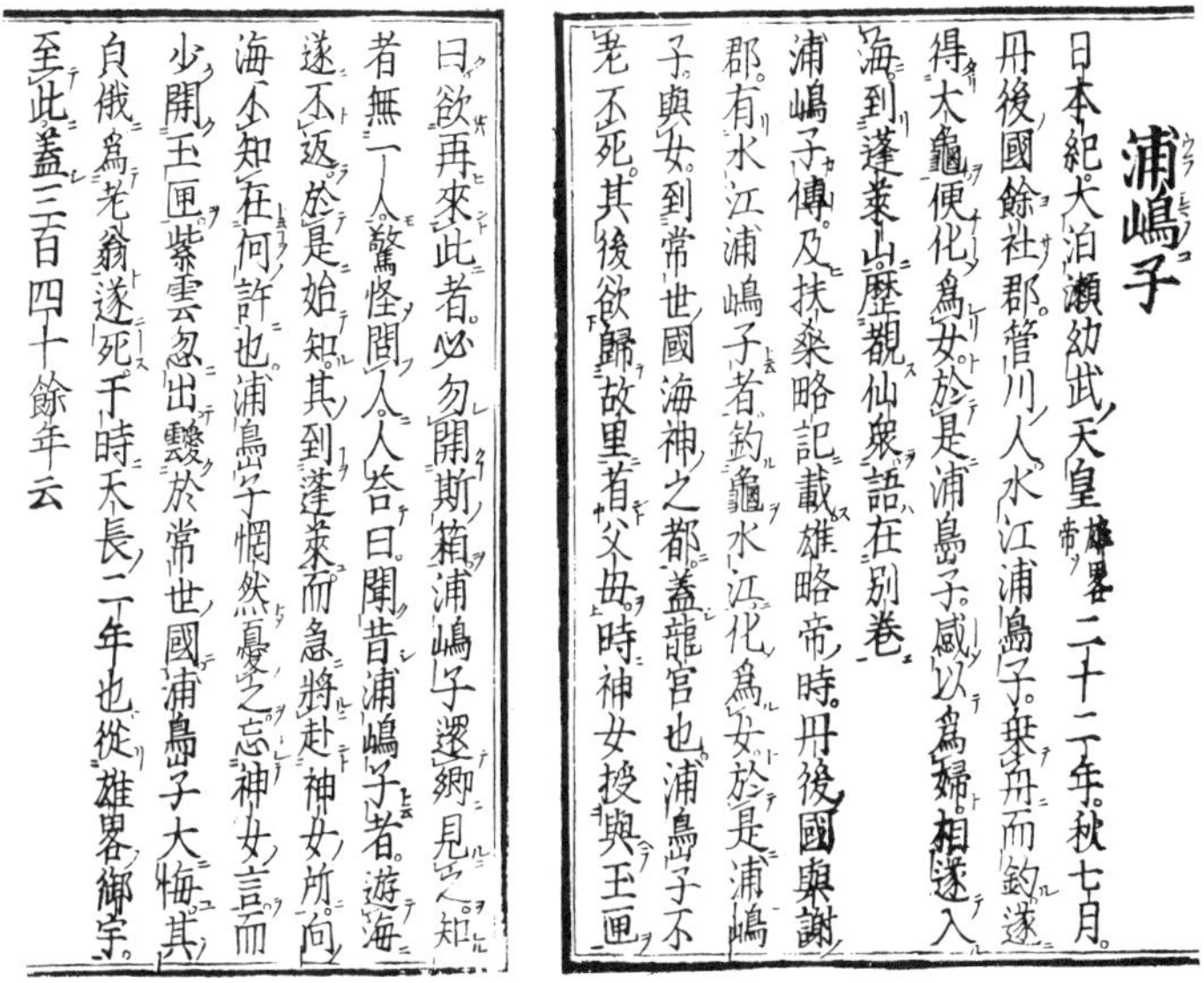
浦嶋子《ウラシマノコ》

日本紀大泊瀬幼武天皇雄略帝二十二年秋七月丹後國餘社郡管川人水江浦嶋子乗舟而釣遂得大亀便化爲女於是浦嶋子感以爲婦相逐入海到蓬莱山歴覩仙衆語在別巻
浦嶋子傳及扶桑略記載雄略帝時丹後國與謝郡有水江浦嶋子者釣亀水江化爲女於是浦嶋子與女到常世國海神之都蓋龍宮也浦嶋子不老不死其後欲歸故里省父母時神女授與玉匣曰欲再來此者必勿開斯箱浦嶋子還郷見人知者無一人驚怪問人人答曰聞昔浦嶋子者遊海遂不返於是始知其到蓬莱而急將赴神女所向海不知在何許也浦嶋子悃然憂之忘神女言而少開玉匣紫雲忽出鬉於常世國浦嶋子大悔其負俄爲老翁遂死于時不長二年也從雄略御宇至此蓋三百四十餘年云

『本朝神社考』

ありかたに当てはめてみると、こういった俗受けのする怪異をちりばめることで、武家たちの関心を惹こうとした、あるいは、より多くの読者獲得を狙ったという一面があったということになろう。

思うに、古今東西、最も大衆受けする話材は、怪異、恋、笑いではないか。儒学者として、恋と笑いは扱いにくいが、怪異ならばなんとか許容される。そのような判断があったものと思われる。

もっとも、そういった理由だけではなく、『狐媚鈔』や『怪談全書』などの著の存在を考え併せると、羅山には本来的に怪への志向が存したのではないかとも想像されるのである。

以上をまとめよう。『本朝神社考』は基本的には排仏と神儒合一を目指しているものの、儒学者としての立場に徹しきれずに、その枠組みからやや逸脱し、輪郭がはっきりしないものになっている。しかし、だからこそこの書は文学作品として成り立ちえているのである。

なお、『本朝神社考』は、その便利さから、江戸時代の地誌類や、上田秋成『雨月物語』（安永五年〔一七七六〕刊）、平田篤胤『古今妖魅考』（文政十一年〔一八二八〕刊）など各書に利用されているが、これまでも羅山の啓蒙的著述が後代において摂取されている様相についてはしばしば指摘してきたので、ここではこれ以上触れずにおく。

総合性、実証性、啓蒙性

ここで、これまでも触れていたことだが、羅山の学問の特性が総合性、実証性、啓蒙性の三点に大きくまとめられることについて、さらに筆を費しておく。

というのも、前項で取り上げた『本朝神社考』は、そのような特質をじつによく表している書だからである。偏ることなくさまざまな神社を立項し（総合性）、その由来を諸書の文献によって証明し（実証性）、さらに読者にわかりやすいよう的確に記述している（啓蒙性）。

そして、このような傾向は、羅山のすべての著述に共通しているのである。

総合性という点では、彼の著述が、政治・思想・文学をはじめとして宗教・言語・歴史などあらゆる分野において、史的意義があると見なされていることがまず挙げられる。また、個々の著述においても、なるべく包括的に記述しようとする傾向が随所に見られる。まだ学問が未分化な時代であり、当時の知識人は幅広く知っていることが求められたという外的な理由も考えられるが、しかし、羅山の博覧強記と知識欲があってこそ初めてこれらが可能になったのでもある。

実証性は、中世の秘伝に頼ることなく、文献による検証を尊び、自由で合理的な探究精神を全般的に抱いていたことに顕著である。これは彼が朱子学者であったこととも関係していようが、やはり博学ゆえになせる業と言える。江戸時代ではやがて国学が台頭し、文献による緻密な実証主義が時代を席捲するが、羅山の学問にはその先駆的な意味があると言ってよい。

啓蒙性は、漢詩文を校訂し、わかりやすい注釈を作ったり、また重要な書物を一覧できるようにして内容を紹介したことによく表れていよう。他にも啓蒙的な仕事は多く、羅山は、難しいものを嚙み砕いて解説する才能に富んでいたのである。羅山の啓蒙書が大きな影響を後代に与えていったことは、本書でもしばしば指摘した。

この三つの特質は、江戸という時代の特質としてもある程度認められるものである。繰り返しになるが、羅山は時代の最初期に位置し、江戸的な思考の枠組みを形作った人物の代表なのであった。

詩仙堂

風雅な営みもあった。

寛永十九年に、詩人の石川丈山《いしかわじょうざん》（一五八三～一六七二）との間で、中国のすぐれた三十六人の詩人（「詩仙」）を選ぶことについて、議論が交わされたのである。

事の発端は、自分が隠棲していた洛北の一条寺に建てた小堂に、詩仙の画像を掲げたいと、丈山が考え付いたことにある。堂を名付けて詩仙堂《しせんどう》と言う。詩人の選定について、羅山は丈山から意見を求められ、二人の間で書簡の応酬が始まった。これらは、『羅山林先生文集』巻七と丈山の『新編覆醬《ふしょう》

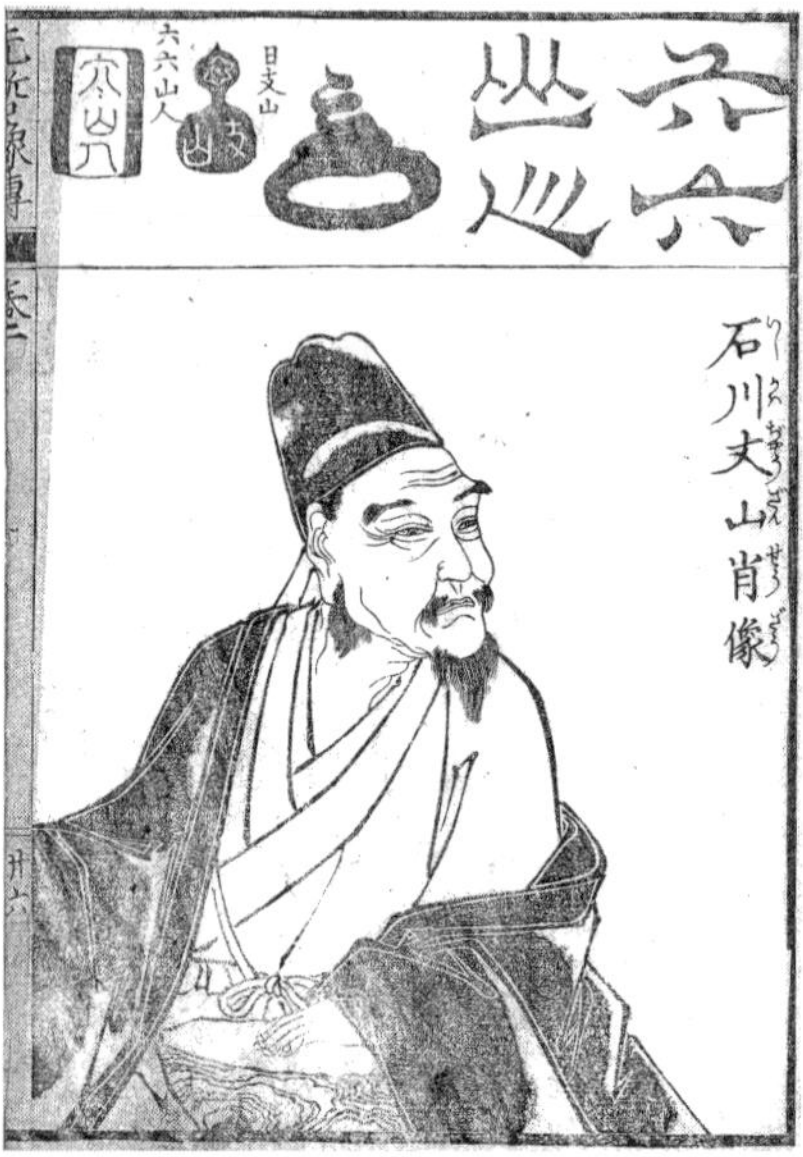

『先哲像伝』石川丈山

詩仙堂

続集』巻十一によって参照することができる。

羅山が王安石・曽鞏《そうきょう》を入れるべきだと主張したところを、丈山が王昌齢・儲光羲《ちょこうぎ》にするとして譲らなかった点が特に対立したが、結局、三十六人の詩人は以下のようになった。

漢・蘇武　晋・陶潜（淵明）　劉宋・謝霊運　同・鮑照

初唐・杜審言　同・陳子昂《ちんすごう》　盛唐・李白　同・杜甫

同・王維　同・孟浩然　同・高適　同・岑参《しんしん》
同・儲光羲　同・王昌齢　中唐・韋応物《いおうぶつ》　同・劉長卿
同・韓愈　同・柳宗元　同・劉禹錫《りゅううしゃく》　同・白居易（楽天）
晩唐・李賀　同・盧仝《ろどう》　同・杜牧　同・李商隠
方外・寒山　同・霊徹　北宋・林逋《りんぽ》　同・邵雍《しょうよう》
同・梅堯臣《ばいぎょうしん》　同・蘇舜欽　同・欧陽修《おうようしゅう》　同・蘇軾《そしょく》（東坡）
同・黄庭堅《こうていけん》　同・陳師道　南宋・陳与義　同・曽幾

詩仙の図像は狩野探幽が描いており、のちには『詩仙』として刊行されてもいる。

池澤一郎氏が指摘していることだが、羅山は「余若《も》し公府の閑暇を得て、洛陽に帰休し、足下と詩仙堂に逍遥し、巻中の聖賢に対せば、則ち他年の大快と為《な》らん」と書簡の中で述べており、「こうした文言からは、リゴリスティックな朱子学者というよりも風流に遊ぶ文人としての羅山の面貌が髣髴と」し、「羅山のエピキュリアンとしての側面がむしろ丈山と詩学を語り合う場面には発揮されていた」（池澤氏）と言えるだろう。翌寛永二十年十月二十五日には、四男読耕斎を伴って、羅山は詩仙堂を訪問している。

なお、詩人ごとに代表的な作品が一首ずつ挙げられているが、これは当時十九歳の読耕斎が選んだものである。

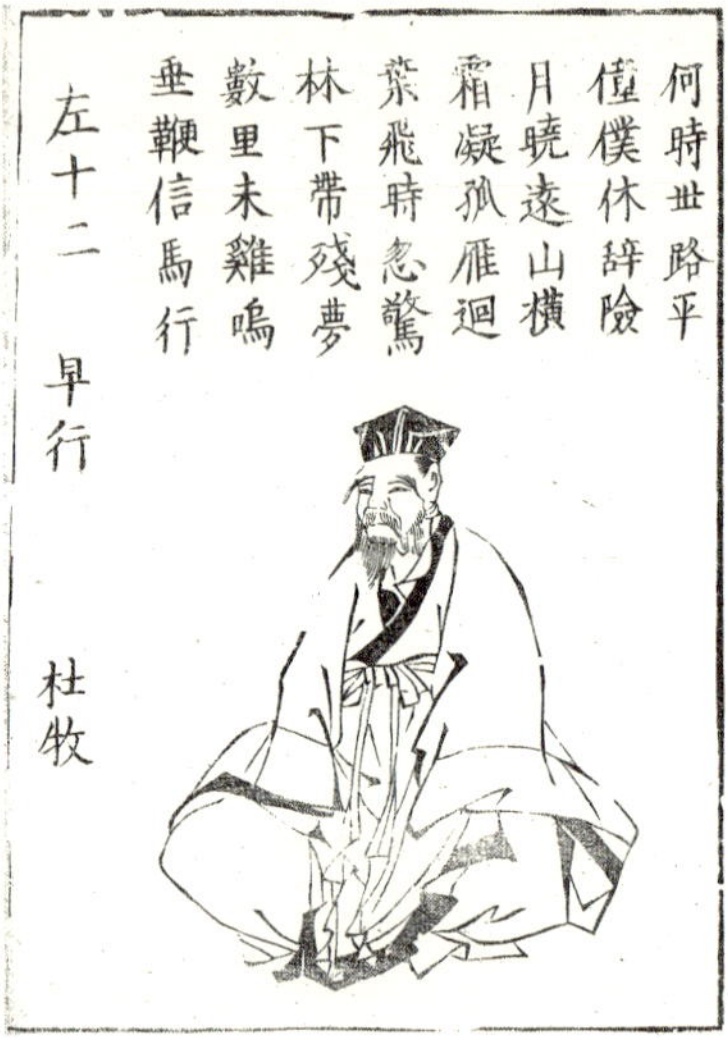

『詩仙』

さて、池澤氏はさらにおもしろい指摘を行っている。芭蕉の『野ざらし紀行』（貞享二年〈一六八五〉～四年成立）にある、

二十日余《はつかあまり》の月、かすかに見えて、山の根際《ねぎは》いとくらきに、馬上に鞭をたれて、数里《すり》いまだ鶏鳴《けいめい》ならず。杜牧《とぼく》が早行《さうかう》の残夢《ざんむ》、小夜《さよ》の中山に至りて忽《たちまち》驚く。

馬に寝て残夢月遠し茶のけぶり

という部分は、杜牧「早行」を参考にしているわけだが、これは『詩仙』に引かれたそれを参考にしているというのである。羅山・読耕斎と丈山の文雅の交わりが、約四十年後の芭蕉にも影響を及ぼしているわけだ。

倭漢十題雑詠

風雅な営みは、丈山との関わりにとどまらない。

寛永十九年九月二十二日、浅草文殊院において、僧応昌《おうしょう》（一五八一～一六四五）を中心として、日本・中国の人物や事物について漢詩や和歌を詠んでいくという営み、いわゆる「倭漢《わかん》十題雑詠《じゅうだいざつえい》」が初めて行われ、羅山も参加した。

たとえば、この日の十題・十品は以下の通り。

鍾山桜　逢坂鶯　八橋杜若　若耶杜鵑　更級月　呉江楓葉　難波江寒蘆　香爐峰雪　隅田川眺望　筑波山（以上、十題）

日本武尊《やまとたけるのみこと》　厳子陵　大織冠　傅大士《ふだいし》　黄四娘　紫式部　呂洞賓《りょどうひん》　大江匡房《まさふさ》　鎌倉右大将　京極中納言（以上、十品）

この時、羅山は二首詠んでいるが、一首は次のようなものである。

京極中納言

聞説定家無等倫　　聞くならく　定家　等倫無しと
小倉別業白雲隣　　小倉の別業　白雲の隣
歌仙韻士雖間出　　歌仙　韻士　間出すと雖《いへど》も
山柿以来唯一人　　山柿以来　唯だ一人

（聞くところによると、藤原定家には同じくらい実力のあった仲間はいないということだ。小倉山荘は白雲漂うあたりにあったのである。すぐれた歌人たちや風流な人々は時折現れたけれども、柿本人麻呂や山部赤人以来のすばらしい歌人といえば、彼しかいるまい。）

この時には、応昌・羅山以外に、立詮《りっせん》（一五九八～一六六二）・鵞峰・読耕斎・また最岳元良・坂井伯元・柳瀬良以が参加した。その後、寛永二十年までに、茂源西堂・周南長老（昆岳）・鈞天長老（十如）・人見卜幽・辻端亭・以宗らが主に参加し、承応年間（一六五二～五五）まで四十回以上も催された。

応昌は、高野山興山寺三世。連歌も嗜み、里村家と親しかった。立詮は、応昌の弟子。興山寺四世。高野山行人頭《ぎょうにんがしら》。最岳元良は、南禅寺二百七十四世で、同寺塔頭金地院の住持にもなった。坂井伯元は、羅山の門人。人見卜幽・辻端亭も羅山門人で、水戸藩に仕えた儒学者。

宮崎修多氏の指摘によれば、このうちの中心人物が寛永十八年に編纂を命ぜられた『寛永諸家系図伝』に携わっており、また寛永十六年の高野山騒動（学侶《がくりょ》方と行人方の争い）に関わっていたという。それらから生まれた、ある種の連帯感が、ともに詩歌を制作しようという気運の盛り上がりにつながったのである。前者に関連して言えば、歴史への関心が、日本という国への関心にも通じ、和漢の故事を詩歌によって詠じるという意識の高まりにまでつながっていったのであろう。たんに教養や事実を探究するのみならず、そういった文学的な営為にも情熱を注いだところに、羅山の持つ文芸性や遊戯性がよく現れている。また、詩材の拡大という点でも重要な試みだったと言えよう。

さて、文学史的に見てみると、それまで羅山の周辺ではしばしば和漢聯句が催されていたが、この「倭漢十題雑詠」がさかんになると、羅山は和漢聯句に関わらなくなる。ただ、和漢の故事に対して表現していく精神には、和漢聯句の特質も影響を及ぼしていたという指摘が、深沢眞二氏によってな

されている。深沢氏によれば、

和漢聯句が持つ和漢の混淆という性格を興味の中心に据えたまま、連歌的行き様《ゆよう》の束縛をはずし、詩会や歌会の形式に転ぜしめたのが「倭漢十題雑詠」だった（下略）

ということである。繰り返しになるが、そのようにして、常に文芸的にも和漢の教養に接していたことが、羅山の思考の枠組みを広く深いものにしていたと考えてみたい。

『癸未紀行』

寛永二十年（一六四三）、後光明天皇即位のため上洛する酒井忠勝・松平信綱（老中、川越藩主）に従って東海道を上った際にできたのが、『癸未紀行《きびきこう》』の作である。羅山六十一歳の時であった。『癸未紀行』は正保二年（一六四五）に刊行されている。

まず、「箱根山」についての漢詩を掲げよう。

鬱屈箱根路　　鬱屈たり　箱根路
海東初日辺　　海東　初日の辺
豆相経界拆　　豆相　経界拆《さ》く
甲信地図連　　甲信　地図連なる
八里歩難進　　八里　歩　進み難く

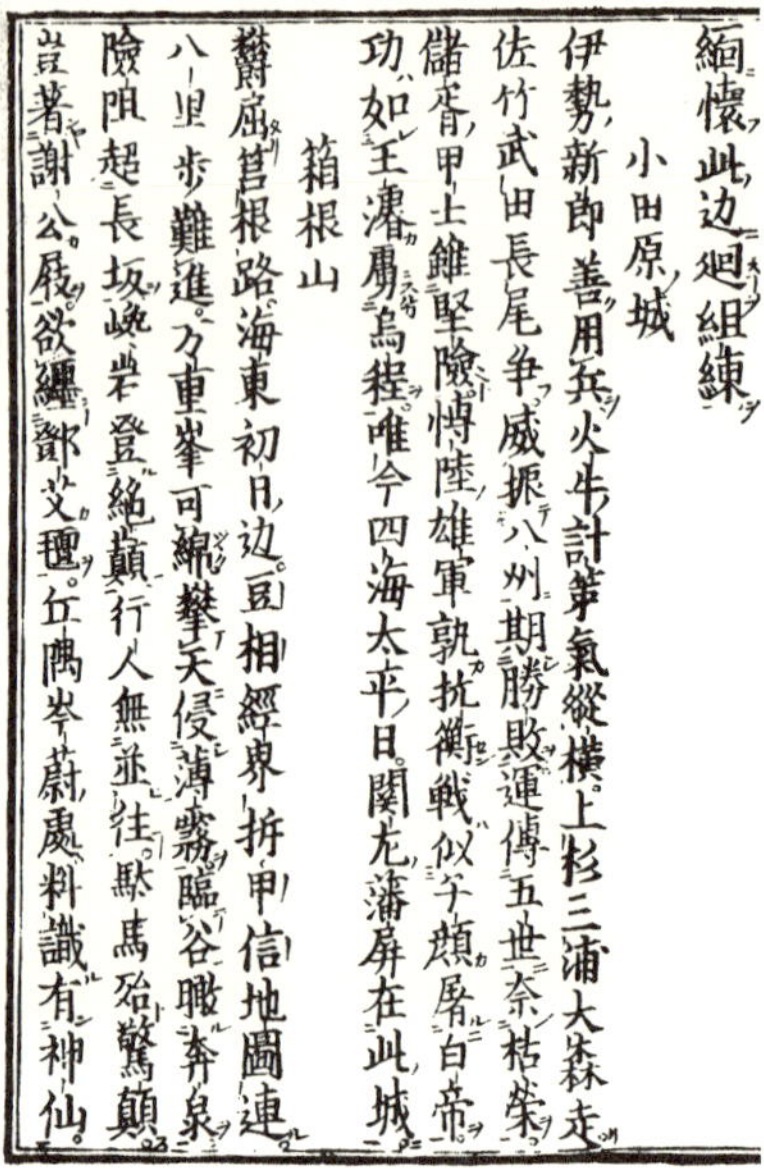
緬懐此辺廻組練
小田原城
伊勢新郎善用兵火牛計策気縦横上杉三浦大森走
佐竹武田長尾争威振八州期勝敗運傳五世奈枯栄
儲胥甲上雖堅険恃陸雄軍孰抗衡戦似乎顛屠白帝
功如王濬勇烏程唯今四海太平日関左藩屏在此城
箱根山
欝崗岩根路海東初日辺豆相経界拆甲信地図連
八里歩難進万重峯可綿攀天侵薄霧臨谷瞰奔泉
険阻超長坂巉岩登絶巓行人無並往駄馬殆驚顚
豈著謝公屐欲纏鄧艾氈丘隅岑蔚処料識有神仙

『癸未紀行』

万重峯可綿　万重　峯　綿《つづ》くべし
攀天侵薄霧　天に攀《よ》ぢて　薄霧を侵《をか》し
臨谷瞰奔泉　谷に臨みて　奔泉を瞰《み》る
険阻超長坂　険阻　長坂を超え
巉岩登絶巓　巉岩《ざんがん》　絶巓《ぜってん》に登る
行人無並往　行人　並び往くこと無く
駄馬殆驚顚　駄馬　殆ど驚顚す
豈著謝公屐　豈《あ》に謝公が屐《げき》を著けんや
欲纏鄧艾氈　鄧艾《とうがい》が氈《せん》を纏《まと》はんと欲す
丘隅岑蔚処　丘隅　岑蔚の処
料識有神仙　料識《はかりし》る　神仙有らん

おおよその意味は以下の通り。

箱根路は、曲がりくねっていて、東の方の海（あるいは東海道のことか）に、昇ったばかりの太陽が

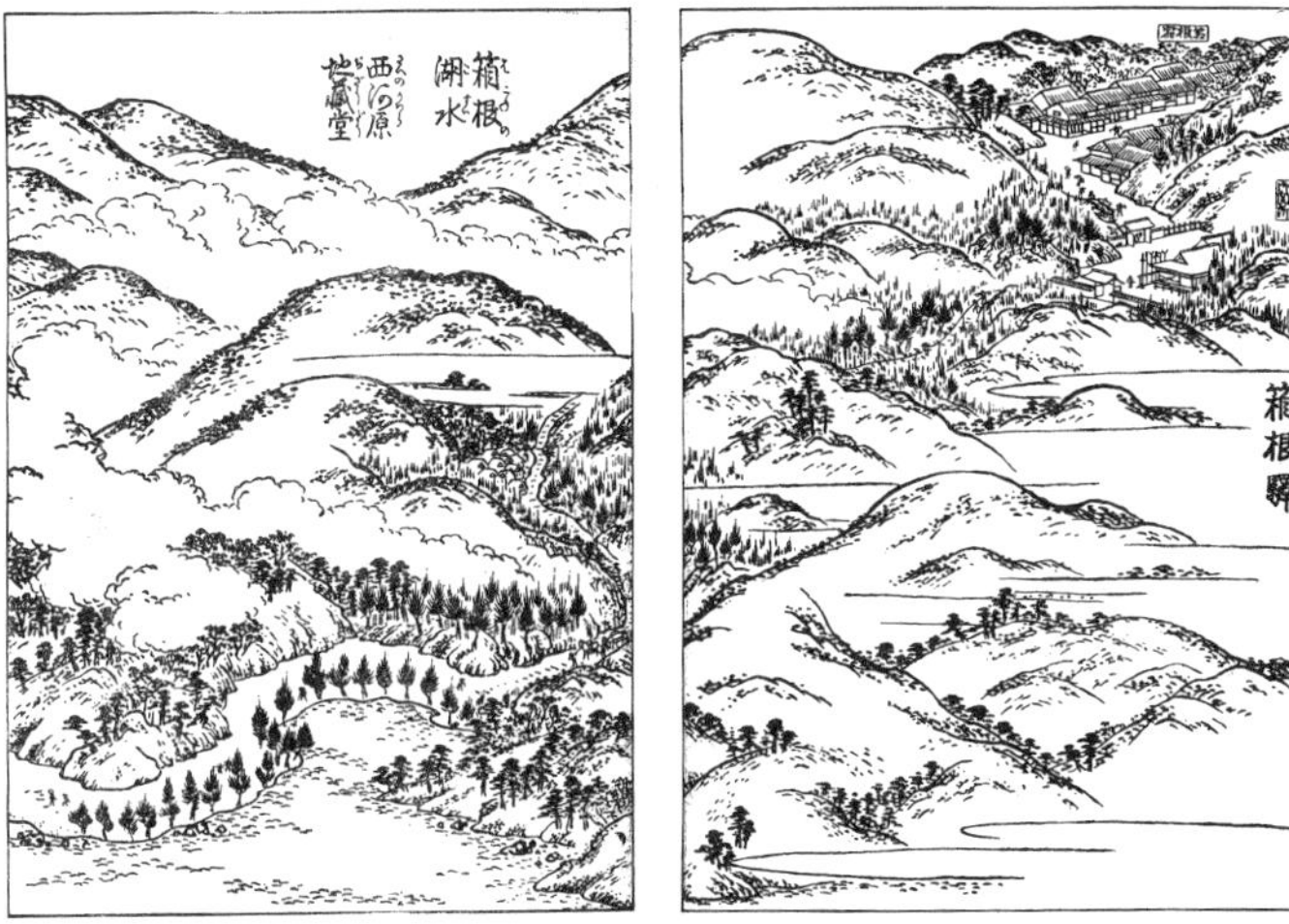

『東海道名所図会』箱根

見える。伊豆・相模両国の境が、この箱根山で引き裂かれているかのようだ。甲州・信濃両国とも地理的に連なっている。この八里（東海道小田原宿から箱根宿を経て三島宿に至る道程を「箱根八里」という）は歩を進めるのが困難であり、幾重にも重なる山々が続いている。天にまで攀じ登るほど高く登って、薄くかかった霧に包まれ、谷に向き合うと、急流（もしくは滝か）が見える。険しく長い坂道を越えて、高く聳え立つ岩が並ぶ山の頂にまで辿り着いた。旅人は（道幅が狭いので）並んで歩くことができず（一列になって歩くしかなくて）、荷物を運ばせる馬は驚いて倒れんばかりである。どうして、謝霊運の下駄を履いてここを越えることができようか、ただ鄧艾のように敷物を身にまとって転がり落ちるしかないのである。丘のすみの、山が高くて草木がこんもりと茂っているところには、仙人がいるのではないかと想像される。

「豈に謝公が屐を著けんや／鄧艾が氈を纏はんと欲す」は、中国の故事を踏まえる。前者は、南北朝、宋の詩人謝霊運《しゃれいうん》（三八五～四三三）が山登りを愛し、登山用の特別の下駄まで発明したという逸話に基づく。山に登る時は前歯をはずし、下山する時は後歯をはずしたとされる（『世説新語』任誕）。ここでは、そのような便利なものであっても、険阻な箱根山を越えるにあたっては何の役にも立たないというのである。なお、李白「夢に天姥に遊ぶの吟、留別」の詩に「脚に謝公の屐を著け／身は青雲の梯に登る」という表現がある。また、鄧艾は、三国、魏の棘陽の人で、『蒙求』の標題に鄧艾が若くして大志を抱いた「鄧艾大志」がある。そして、『三国志』魏書巻二十八には、険しい山や谷を越えて兵糧を運んでいく際、鄧艾は氈（毛織りの敷物）で自らを包んで転って下ったという記述があり、ここはそれを踏まえていよう。そのように、この箱根の山路も転って行くしかないとして、やはり箱根路の険しさを表現しているのである。

また、最後の「丘隅　岑蔚の処／料識る　神仙有らん」であるが、これについては元和二年（一六一六）に成った羅山の紀行『丙辰紀行』も、「仙人四代この山に住《すみ》て、駒形の深秘をあらはし、役小《えんのを》角《づの》も爰《ここ》に来りて其跡をのこし」とある。

箱根山の険しさを具体的に表現しながら、中国の故事によってさらにそれを強調し、そんな山だから仙人がいても不思議はないというふうに持っていくあたり、なかなかうまくできている。

もう一首、今度は駿府を通過した際の作品を挙げておこう。駿府城が寛永十二年、つまり八年前に火事に遭って炎上した跡を通っての作である。鳩の糞が堆積して、それが乾燥して出火したと羅山は聞かされていた。

遊事駿州曾十年
柳営幕下白雲辺
数重畳塹比牢鉄
千仞雪風吹御筵
侍食伝嘗君子賜
読書常説古人賢
花時供奉浅間社
月夜逍遙阿倍川
夢過慶長元和際
心存新主旧君前
不知鴿矢燥生火
可惜蜃楼焼化烟
只有霧中秋景在
満襟老涙出如泉

駿州に遊事《いうじ》す　曾《かつ》て十年
柳営　幕下《ばくか》　白雲の辺
数重の塁塹《るいざん》　牢鉄《らうてつ》に比し
千仞《せんじん》の雪風　御筵《ぎょえん》を吹く
食に侍して　伝へ嘗《な》む　君子の賜《たまもの》
書を読みて　常に説く　古人の賢《けん》
花の時　供奉《ぐぶ》す　浅間《せんげん》の社
月の夜　逍遙す　阿陪川
夢に過ぐ　慶長　元和の際
心は存す　新主　旧君の前
知らず　鴿矢《かふし》の　燥《かは》きて火生ずること
惜しむべし　蜃楼《しんろう》　焼けて烟《えん》と化することを
只だ霧中秋景の在る有り
満襟《まんきん》の老涙　出でて泉の如し

先年風聞す、鳩鴿《きうかふ》の糞、多年積堆《せきたい》して、殆ど数百斛《こく》、乾燥して火発《はつ》して、城中、池魚《ちぎょ》の殃《わざはひ》に逢ふ。或いは云ふ天火と。

駿河国に行って家康公にお仕えしたのは、十年の間だった。将軍のお側近くは、白い雲が掛かっているかのように尊かった。幾重にも連なった濠は、堅くて丈夫な鉄のようで、富士の高嶺から冷たい風が家康公のお座りになっている所にまで吹いて来たのである。お食事に侍っては、家康公から頂戴した盃を回し飲みし、書物を読んではいつも古人の賢い行いをお話し申し上げたことだ。桜の花が咲く時節には、浅間神社までお供をし、月の美しい夜には、阿倍川あたりまで散歩にご一緒した。夢のように慶長から元和までの日々が過ぎていったが、私の思いは現在の主君である家光公と、かつてお仕えした家康公・秀忠公のことでいっぱいである。知らなかったことだ、鳩の糞が乾燥して火事になったとは。残念なことに、城は蜃気楼のように、焼けて煙になってしまったのである。今、私の目の前には霧の中に秋景色があるだけで、老人になった私の涙が襟をぐっしょりと濡らし、泉のように流れるばかりである（徳田武氏の訳を参考にした）。

「夢に過ぐ　慶長　元和の際／心は存す　新主　旧君の前」とあるところ、羅山の思いが窮まったと言えよう。家康に初めて拝謁したのが慶長十年（一六〇五）、家康が没したのは元和二年（一六一六）、家光に拝謁したのは寛永元年（元和十年、一六二四）であった。

詩は、前半で家康と過ごした日々を追懐することに多くが割かれ、彼の思いは過去に傾いている。そして、その記念となる空間、すなわち駿府城が火事によって焼失してしまったことで、自分の過去も遠く去ってしまうという嘆き、併せて老いの嘆きが詠まれるのである。

還暦を過ぎた羅山が自身の生涯を振り返るこの詩は、彼の人生の重みを感じさせ、読む者の心情を掻き立てる。すぐれた作品だと思う。

『恠談』と『怪談全書』

再び、怪への志向について取り上げよう。

寛永末には、家光御不例を慰めるため、『仙鬼狐談（仙談・鬼談・狐談）』『恠談《かいだん》』を著したと、『羅山林先生詩文集』「編著書目」にある（このうち、『狐談』は先に述べた『狐媚鈔』に当たる）。御伽衆としての役割を果たすべく作成したものなのであろう。

『恠談』が『怪談全書』として刊行されるのは、元禄十一年（一六九八）。羅山が没して半世紀近く経っても、その著述の有用性は高かったと考えられていたわけである。実際、そこに収録されている「魚服」は上田秋成『雨月物語』（安永五年〈一七七六〉刊）の「夢応《むおう》の鯉魚」と同じ典拠に基づき、「淳于棼《じゅんうふん》」と曲亭馬琴の『三七全伝南柯夢《さんしちぜんでんなんかのゆめ》』（文化五年〈一八〇八〉刊）の関係も同様であるという具合に、後代に与えた影響は大きい。

『怪談全書』は、全三十二話から成っている。中国の志怪小説を日本人に読みやすいように適宜取捨選択しながら翻訳したもので、『太平広記』『事文類聚《じぶんるいじゅう》』『古今説海』などの類書を参考にしていることが多い。

その翻訳態度は、おおまかに言えば、簡潔に要約し、中国の特殊な言い回しや固有名詞などを省くという手際のよさが目に付くというものである。難しい事柄をわかりやすく人に伝えることに関する

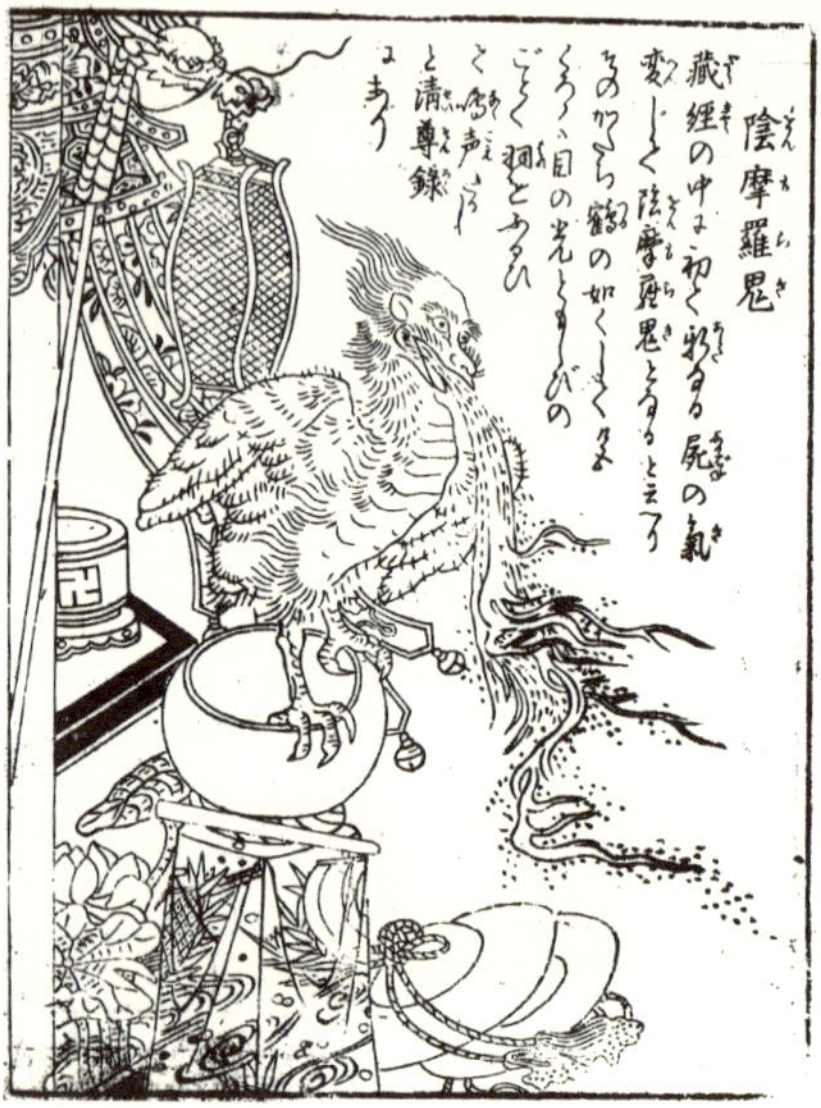

『続百鬼』陰摩羅鬼

卓抜した羅山の能力が、ここでも発揮されているわけだ。

『怪談全書』について、なお二点指摘しておこう。

一点は、陰摩羅鬼《おんもらき》についてである。鳥山石燕《とりやませきえん》の『続百鬼』（安永八年〈一七七九〉刊）には、上のような図があり、

> 蔵経《ざうきやう》の中に初て新《あらた》なる屍《しかばね》の気《き》変じて陰摩羅鬼となると云へり。そのかたち鶴の如くして色くろく目の光ともしびのごとく羽をふるひて鳴《な》声たかしと『清尊録《せいそんろく》』にあり。

という解説が付いている。これだけ読むと、石燕が『清尊録』を読んで陰摩羅鬼の図を想像して描いたように感じられるだろう。

しかし実は、『怪談全書』に、次のような記述があるのである。

鶴ノ形ニテ色黒ク、目ノ光ルコト燈火ノ如クニシテ、羽ヲフルヒテ鳴声タカク（中略）蔵経ノ中ニ、初メテ新ナル屍ノ気変ジテ如斯《かくのごとし》。コレヲ陰摩羅鬼ト号《なづ》ク、ト云ヘリ。『清尊録』ニアリ。

両者がきわめて似ていることは一目瞭然である。つまり、石燕は本当は羅山の著述によって間接的に『清尊録』に学んだのだが、あたかも直接学んだかのように装ったのである（念の為記しておくが、江戸時代ではそのようなことはしばしば行われていた。今の時代もそうかもしれないが）。

『怪談全書』

もう一点。『怪談全書』には「馬頭《ばとう》娘《ろう》」という奇妙な話が載る。

蜀の国の娘が、父が捕らえられたのを悲しみ、何も食べなくなってしまった。その母が「夫を取り返した者は、この娘を妻にしてよい」と人々に誓ったところ、その家の飼馬が奪還してきた。父は娘をやるまいと馬を射殺し、その皮を剝いで、庭に貼り付けておいた。すると、急に風が吹いてきて皮がむくれ上がり、娘を巻き、どこかへ飛び去ってしまった。十日ほど経って、皮がまた飛んで来て、木の上にとどまった。娘は蚕になって、桑の葉を食べ、糸を吐き出している。これが糸で絹を織ることの初めである。ある時、この娘は馬に乗って、天に昇ってしまった。そののち人々はこの娘の像を造り、馬の皮を着せ、馬頭娘と名付けたのだった。

最後には「蜀ノ図経ニ見エタリ」とあり、これが典拠だと知られる。

ところが、石井正己氏が指摘しているように、約二百年後の柳田國男《やなぎたくにお》の『遠野《とおの》物語』(明治四十三年〔一九一〇〕刊)にも、同様の話が載るのである。第六十九項から該当箇所を抜き出してみると、

昔ある処に貧しき百姓あり。妻は無くて美しき娘あり。又一匹の馬を養ふ。娘此《この》馬を愛して夜になれば厩舎《うまや》に行きて寝《い》ね、終に馬と夫婦に成れり。或《ある》夜父は此事を知りて、其次《その》の日に娘には知らせず、馬を連れ出して桑の木につり下げて殺したり。その夜娘は馬の居らぬより父に尋ねて此事を知り、驚き悲しみて桑の木の下に行き、死したる馬の首に縋《すが》りて泣きゐたりしを、父は之《これ》を悪《にく》みて斧を以て後《うしろ》より馬の首を切り落せしに、忽ち娘は其首に乗りたるまゝ天に昇り去れり。オシラサマと云ふは此時より成りたる神なり。馬をつり下げたる桑の枝にて其神の像を作る。(下略)

というようになる。父が馬の首を切り落とすところや、オシラサマということばこそ出てこないもの

の、馬と人間の恋、父による馬の殺害、娘が馬に乗って天に昇ること、娘の像が崇拝されること、桑の木が関係していること、など一致する点は多い。

ちなみにオシラサマとは、東北から中部地方にかけて信仰されている神で、右にもあるように東北地方では桑の木に人間や馬の頭部を彫り衣装を着せたもので、農業神とされる。また関東・中部地方では、蚕神とされることが多く、桑の枝を持つ女人像が崇拝されている。

もっとも、羅山の『怪談全書』が直接『遠野物語』に影響を与えたとは限らない。中国に原拠を持つこの話がいつの頃からか東北地方に伝えられて、民間伝承を形成し、結果的に『怪談全書』と共通する話になったという経路も考えられる。しかし、一見関係の薄いように感じられる両者が意外なところでつながっているところからも、羅山の教養の広さが看取されるだろう。言い換えると、近代になって柳田が注目したオシラサマの由来譚（の淵源）が二百年以上前の羅山によって紹介されているところに、羅山の先見性を見て取れるのである。

体調悪化

ところで、正保二年（一六四五）六十三歳から翌年にかけて、羅山は体調がよくなかったようである。

「羅山先生年譜」には、正保三年秋に、病状がようやく快復するとある。

その間、将軍から相談を受けることがあり、そのため松平信綱や酒井忠勝らが羅山宅を幾度も訪問したり、時には鵞峰が使者となって、登城したりした。また、輿に乗って羅山が登城したこともあった。松平信綱が官医と相談したりもしている。

正保二年冬には、「鼻疾賦」「歯落賦」「湯婆《とうば》（ゆたんぽ）賦」「眼鏡賦」（『羅山林先生文集』巻一）を著し、「於戯《ああ》、余が老《おい》の将に至らんとする、逝《ゆ》く水の少しく稽《とど》むるべからざるを嘆く」（「歯落賦」）と記されている。「逝く水の」云々は、『論語』子罕《しかん》篇にある、「子、川の上《ほとり》に在りて曰く、逝く者は斯《か》くの如きか。昼夜を舎《や》めず（先生が川のほとりで言った、過ぎ去って戻らないものというのは、この川の流れのようなことを言うのだろうか。昼も夜も休むことがない）」という表現に拠っている。

時間が経っていくことは誰にも止められない。まさにそのことは『論語』に記されていた。

寛永期の羅山

さて、家光時代における羅山の諸活動について縷々述べてきたところで、その史的意義をまとめておきたい。

徳川幕府の内部において、羅山は文書作成や意見具申に関して一定の役割を果たしたものの、それは政治の運営の根幹に相渉るものではなく、彼は政権の中枢には位置していなかったというのが通説である。本書も、そのことを全面的に否定するものではない。

しかし、江戸時代的思考の枠組み――総合性、実証性、啓蒙性、あるいは時間意識の生成といった側面では、大きくその時代に貢献し、これに関しての先見性は高く評価されるべきであると考えられる。

そのことについては、終章でさらに確認することとしたい。

また、寛永期を通して、御伽衆として活躍し、先聖殿を建設し、系図・歴史書を編纂し、さまざまな文芸活動を行ったというさまを見ていくと、この時期の羅山の充実ぶりは際立っていて、従来の羅山像がともすれば家康との関わり――湯武放伐論や方広寺鐘銘事件も含めて――に頁を割きがちであるのは一面的であると思わざるをえない。四十歳代、五十歳代こそ、この人の最盛期である。

2 家族

寛永期を中心とする、家光に仕えていた時代を記述していくうちに、羅山も六十歳を越えてしまった。前節の最後では、体調を崩したことによる嘆きも紹介した。

このあと、次章では、家綱に仕える最晩年、そして死へと記述していくのだが、ここで便宜上、羅山の家族――妻、弟、子、孫についてまとめて記しておきたい。そのように記述することで彼の家族への愛情もよりはっきりと見えてくると思われるのである。

妻・亀　妻の亀とは、羅山が二十七歳の時に結婚する。この時、亀はまだ十二歳だった。十五歳も年の離れた夫婦だったのである。

二人の間には、四男一女が授かる。長男・次男は若くして亡くなり、三男の鵞峰と四男の読耕斎が学者として一人立ちしたことは、すでに述べてきている通りである。

承応三年（一六五四）に読耕斎の妻が若くして没するので、その二女一男も亀が養育する。そのことが負担だったのか、二年後の明暦二年（一六五六）三月二日に、亀は死んでしまうのである。五十九歳だった。羅山は、その翌年、七十五歳で後を追うように没するのである。

亀の死については、さらに後述する。

つづいて、弟永喜《えいき》（信澄《のぶずみ》・東舟《とうしゅう》）について言及しておく。

弟・永喜

冒頭でも述べたように、林家は羅山の父吉勝と信時、羅山と永喜、鵞峰と読耕斎というように、歴代、兄弟仲が良好だった。

羅山は、信時の長男として生まれ、信時の兄で子のなかった吉勝の養子になった。永喜は、信時の次男として、羅山の生まれた二年後の天正十三年（一五八五）に誕生している。

羅山は慶長十年（一六〇五）に家康に拝謁しているが、永喜は同十三年に拝謁した。これもすでに述べたことだが、まず家康に羅山が引き立てられたのち、秀忠の時代には永喜が御伽衆として登用される。家として兄弟として登用されていれば、羅山にとってもそれなりに満足感が得られることだったと思う。

永喜の方が用いられていた頃、元和三年（一六一七）に、永喜に対して羅山が贈った詩は次のようなものだった。その直前に、永喜が秀忠の御前で不用意に笑ったため不興を買ったという事件があったらしい。

聞説人心易覆傾　　聞くならく　人心　覆傾《ふくけい》し易しと
君門千転幾時平　　君門　千転　幾時か平らかならん
士龍莫向舟中笑　　士龍　舟中に向かつて笑ふこと莫《なか》れ

世上風波不可行　　世上の風波　行くべからず

（『羅山林先生詩集』巻三十四）

人の心は変化しやすいものだと聞く。君主の御心もしばしば変わり、一定の時などないのである。「舟中の士龍（晋の陸士龍〈陸雲〉が船の中で笑いが止まらず、おぼれそうになった故事に拠る）」のような行為をしてしまった弟よ、むやみに笑ってはならないのだよ。世の中の荒波にもまれて生きていくのは実にむずかしいのだからね。

まことに愛情あふれる弟への心遣いである。このあと家光の怒りも収まり、羅山も喜んだ。その後も、この兄弟の間では、詩を贈り合ったり、聯句で同席するなど、親しく交流が続いていく。寛永六年（一六二九）羅山が民部卿法印、永喜が刑部卿法印となり、同九年には、秀忠の諡号について天海・崇伝とともに二人も相談に与っている。

永喜が五十四歳で没するのは、寛永十五年八月十九日である。愛する弟を失った羅山の嘆きはさぞ激しいものだったろう。翌年正月四日に永喜の墓前で詠じた詩は次のようなものである。

五十余年同骨肉　　五十余年　同骨肉
風吹新墳又啼哭　　風　新墳を吹きて　又啼哭《ていこく》す
一囀黄鳥是友于　　一囀《てん》の黄鳥《くわうてう》　是れ友于《ゆうう》
草與残雪相共宿　　草と残雪と　相共に宿す

（『羅山林先生詩集』巻四十一）

五十数年にもわたって兄弟として親しく過ごしてきたのに、風が新しい墓に吹き付けて、またも私は声をあげて泣いてしまった。一声囀って鶯が仲良しの兄弟となり、草や残雪とともに墓にとどまっている。

「友于」は仲良しの兄弟。この場合、飛来した鶯が弟の生まれ変わりのように思われたのである。羅山の世俗的な戦いは、この弟の存在によって、常に励まされ、補助されたと言えるだろう。彼は決して孤独に戦っていたわけではなかったのである。

なお、原念斎著『先哲叢談』（文化十三年〈一八一六〉刊）には、鵞峰の言として「先考（引用者注・亡き父のこと。この場合は羅山）の和は明道《めいどう》に似たり。東舟（引用者注・永喜）の厳は伊川《いせん》に似たり」とある。羅山のゆったりとなごやかなところは程顥（号、明道）に似ており、永喜の厳格なところは程頤（号、伊川）に似ているというのである。程顥・程頤は中国・北宋の有名な儒学者の兄弟で、理気二元論を立論し、朱熹に大きな影響を与えた。二人を二程子とも称する。

「和」と「厳」と、異なる性格の兄と弟だから、うまくいったのかもしれない。補い合って協調できる関係だったのである。

長男・叔勝

長男叔勝《よしかつ》に対しては、家を継ぐ者という期待もあって、羅山は幼少から英才教育を施したが、結果的に十七歳の若さで夭逝してしまう。

羅山の期待は、「林左門墓誌銘」（『羅山林先生文集』巻四十三）に、我常に叔勝が多病なるを恐れ、是に於いて之が薬療を勧む。叔勝も亦た能く慎めり。一夕試みに大学の章句を講ぜしむ。早く文義に通ず。我喜びて寐《い》ねず。十七歳、周礼《しゅらい》・儀礼・公羊《くやう》・穀梁《こくりやう》・春秋外伝を東武の家塾に読む。我屡《しばしば》疑義を問ひて以て之を試む。叔勝文章を作為して答ふ。議論尤《もっと》も正し。時に我偶《たまたま》人の求めに応じて周易伝義及び南華《なんくわ》の口義を講ず。叔勝側に在りて誾誾如《ぎんぎんじょ》たり。叔勝、我に代はりて諸生を聚《あつ》めて孟子を講ずること日有り。我、壁後に之を聞きて、欣然として自負す。以為《おも》へらく、我に是の子の有り、我死すとも恨みずと。（原漢文）

とあることからもよく窺える。叔勝は「多病」ゆえに健康に留意し、幼少より学問に勤しんだ。そんな息子がかわいくないわけがなかろう。「南華」は『荘子』、「誾誾如」は『論語』郷党篇にあることばで、穏やかに是非を論じるさま。「我に是の子の有り、我死すとも恨みず」とまで羅山は思ったのだ。

寛永三年（一六二六）二月に、川越・鴻巣への家光の鷹狩に扈従した際、羅山は川越三芳野の天神廟へ参詣し、叔勝の病気平癒を祈願している。この時、叔勝は十四歳だった。当時四十四歳の羅山にとっては気がかりなことだったに違いない。

同五年十月には、叔勝を江戸に呼んでおり、また草津温泉に療養に連れて行っている。

同六年には病状が悪化し、再び草津に赴いたものの、結局その年の六月十九日、叔勝は没してしまった。羅山の嘆きは想像するに余りある。

多くの人々から弔問の詩が届けられた。このうち竹中重門《しげかど》の詩に和した羅山の詩を挙げる。

我有長子新物故　我に長子有り　新たに物故《ぶっこ》す
哀声段段呑又吐　哀声　段段　呑みて又吐く
床頭周易猶読残　床頭《しゃうとう》の周易《しうえき》　猶ほ読み残す
朱点淋漓血涙露　朱点　淋漓《りんり》　血涙の露

（『羅山林先生詩集』巻四十一）

私の長男は、死んでしまったばかりである。彼は、哀しい声をたてながら、徐々に物を呑みこんでは吐くようになった。枕元の『周易（易経。中国の占いの書）』は、まだ最後まで読み通していなかった。彼が施した新しい朱点を見て、私は悲しみのあまり、血の涙を流すのである。「淋漓」は、水などが滴ること。

寛永元年、京都に滞在中の羅山は、三男の鵞峰に対して、「此の児、能く飲食す。常に五味を択《えら》ばず、後必ず家を保たん」と喜び、常吉と命名している（「鵞峰林先生自叙譜略」）。長男の病気を憂え、三男の健康を喜ぶ。家族を思いやり、家の繁栄を願う、彼の気持ちがよく表れた行為である。

叔勝の没後も、幼い三男四男に対して、「我、不幸にして敬吉を喪《うしな》ふ。唯だ家業の絶えんことを恐る。二子、其れ勉《つと》めよや」（「読耕林子年譜」寛永六年条）と激励している。

なお、次男長吉は元和六年（一六二〇）、五歳の時に天然痘で没している。この時、叔勝や鵞峰も天然痘に罹ったが、義父荒川宗意の尽力もあって、快復した。

三男・鵞峰と四男・読耕斎

以上のような事情により、林家の学問を継承したのは、三男鵞峰《がほう》と四男読耕斎《どっこうさい》だった。特に鵞峰が父の学問を正統的に継承したと言えるであろう。読耕斎もすぐれた能力を有していたが、隠逸の傾向があり、また病弱で、羅山の没した四年後に三十八歳で世を去っている。

鵞峰・読耕斎は六歳違いの兄弟だが、ここからしばらくは便宜上、二人への羅山の営みを併行して列挙していきたい。というのも、羅山はこの兄弟二人に対して、長幼の序を守りつつも、かなり平等に接しながら成長を促したと思われるからである。

元和四年（一六一八）五月二十九日、鵞峰が誕生し、寛永元年（一六二四）十一月二十一日（一説、十二月二十八日）、読耕斎が誕生する。

寛永十一年、鵞峰が家光に拝謁する。

同十二年正月、鵞峰・読耕斎の歳旦詩に羅山が唱和する。同十七年十月には、「恕・靖に示す百問」（『羅山林先生文集』巻三十四・三十五）を与える。「恕」「靖」はそれぞれ鵞峰・読耕斎。

同十八〜二十年、『寛永諸家系図伝』の編纂を鵞峰が補助し、同十八〜十九年、将軍家譜の編纂を鵞峰・読耕斎が補助する。正保元年からの『本朝編年録』編修に際して、鵞峰・読耕斎が分担起草する。

寛永十九年春、石川丈山から、詩仙堂に掲げる三十六詩仙の選定について意見を求められ、返答し

『先哲像伝』林読耕斎

たことについて、読耕斎が関与する。

同十九年九月から開始される、「倭漢十題雑詠」に、鵞峰・読耕斎が参加する。同二十年秋、朝鮮通信使中竹堂のために、『本朝年中行事略』『本朝四礼儀略』『本朝地理志略』を著した際に、鵞峰・読耕斎が補助する。

正保四年（一六四七）春、新宅に移居した鵞峰に和漢書一千余部を与える。また副本七百余部を読耕斎にも分与する。残余数百部は孫の春信（梅洞）に与えたいとの、羅山の意向あり。

承応二年（一六五三）八月、羅山の日光参詣に、読耕斎も同行する。明暦元年（一六五五）春、家綱の命によって、鵞峰・読耕斎とともに『三十六名臣図』『百人一詩』を撰進する。

こうしてみると、二十代から三十代にかけて、二人の息子たちは、父の仕事を手伝いながら、儒学者として成長していったと言えるだろう。父の方も老齢に向かって、気力・体力が衰えていく中、自分を補助してくれる人物が必要だったと思われる。そのようにして、林家の伝統が強固に形作られていったのである。

なお、羅山没後の鵞峰・読耕斎について、少しだけ触れておこう。

鵞峰は、父の死によって、九百石を相続した。寛文元年（一六六一）、治部卿法印となり、同三年、弘文院学士の号を賜った。同四年には、『本朝編年録』の増補改訂版『本朝通鑑』編修のため、上野忍岡の別邸に国史館を開き、同十年に三百十巻を完成させた。延宝八年（一六八〇）五月五日に没している。享年六十三歳であり、父の七十五歳には及ばなかったが、長命を保ったと言えるだろう。その学識は広く、父ほどの革新性はないものの、穏当な見識によって数多くの著述をものした。

読耕斎は、先にも述べたように、羅山の死後四年経ったところで、三十八歳で没する。寛文元年（一六六一）三月十二日のことであった。羅山の生存中のことだが、正保三年に儒官になり、明暦二年には法眼に叙せられている。その著述のうち、最もよく知られているのは、『本朝遯史《とんし》』であろう。惟喬《これたか》親王・西行・鴨長明・兼好ら五十一名の隠逸者の伝記を主とし、寛文四年に刊行されている。勤勉で家を継いだ三男と隠逸志向のある病弱な四男という、ここでも異なる兄弟の組み合わせが林家の幅広さを示しているとも言えるだろう。

孫・梅洞と鳳岡

最後に、鵞峰の子、すなわち羅山の孫について触れておこう。

鵞峰の長男春信（梅洞《ばいどう》）が生まれたのは、寛永二十年（一六四三）八月十一日。羅山にとっても初孫だった。次男春常（鳳岡《ほうこう》）は、翌正保元年（一六四四）十二月十四日に生まれた。羅山が、六十一歳・六十二歳の時のことである。

慶安三年（一六五〇）、梅洞が八歳の時、『大学』の句読《くとう》を終えたので、羅山は『論語集解』（現在、国立公文書館内閣文庫蔵）を与えた。また、承応元年（一六五二）には四書の句読を、同三年には五経の句読を梅洞に対して口授し、そののち『左氏伝』『文選考』や杜甫・蘇軾（東坡）・黄庭堅（山谷）の詩集を教材として学ばせた。鳳岡も側に侍っていた。この時、梅洞は十二歳、鳳岡は十一歳。いよいよ孫への教育が本格化したのである。亡くなる前年の明暦二年（一六五六）八月二十六日に、羅山は梅洞を伴い登城して家綱に拝謁している。

梅洞は、父鵞峰の『本朝通鑑』編修に関わったものの、寛文六年（一六六六）九月一日に、二十四歳の若さで没してしまう。

結局、家を継いだのは次男の鳳岡であった。父鵞峰を補助して、『本朝通鑑』の編修に携わり、延宝八年（一六八〇）家督を相続する。貞享四年（一六八七）には大蔵卿法印となり、弘文院学士の号を受ける。元禄四年（一六九一）蓄髪《ちくはつ》を許され、大学頭に任ぜられた。剃髪した羅山の屈辱はここで濯がれたのだ。鳳岡は、祖父の七十五歳を上回る八十九歳の長命を得て、享保十七年（一七三二）六月一日に没している。

羅山・永喜、羅山の子叔勝・鵞峰・読耕斎、鵞峰の子梅洞・鳳岡と、夭逝した二人も含めて、約百年の間に七人ものすぐれた学者を林家は輩出したことになる。それが可能になったのも、羅山という求心力のある存在があったからに他ならない。

第七章　家綱の時代

1　晩年の日々

家綱、将軍宣下

慶安四年（一六五一）、羅山が六十九歳の年の四月二十日に家光が没したため、八月十八日、長男の家綱が征夷大将軍となる。家綱は、この時、まだ十一歳であった。羅山とは五十八歳の年の差があったことになる。

まもなく、『大学倭字抄』『貞観政要諺解』を老中阿部忠秋の命によって家綱に撰進したと、「羅山先生年譜」に記されている。

幼少の家綱には、保科正之《ほしなまさゆき》らが補佐としてついた。当初は、家光の死に乗じて、松平定政遁世事件や由井正雪の乱（慶安事件）が起きたものの、全体としてさほどの混乱は生じず、家綱の将軍時代である寛文・延宝期（一六六一～八一）には、幕臣の再編や、枡・秤の統一、市場調査などの積極的な経

徳川家綱

済政策が実施され、幕藩体制がさらに整備されていくことになる。もっとも、羅山は明暦三年（一六五七）に没してしまうので、それらを見ることはなかった。

なお、明暦二年十二月十二日には、羅山は家綱に『大学』を進講している。

領地

慶安四年の十二月十五日に、武州赤木《あかぎ》（現、埼玉県北埼玉郡川里村）・袋《ふくろ》（現、埼玉県北足立郡吹上町）・柿沼《かきぬま》村（現、埼玉県熊谷市）を領地として賜った。これで、禄高は九百十七石余となった。

そもそも慶長十三年に二十六歳で年俸三百俵を賜ったのを皮切りとして、同十六年にはその代わりに京都周辺に領地三百十石余を賜り、在駿の費用も下賜された。また、寛永九年、五十歳の時には、さらに三百俵が加えられている。そして、六十九歳の今、九百十七石余にまで到ったわけである。

最後の日光詣で

承応二年（一六五三）、七十一歳の時の八月二十九日には、この年の四月が家光三回忌に当たるため、日光山へ登るべく、四男の読耕斎と人見竹洞《ひとみちくどう》（友元。一六三七～九六。羅山の門人で家綱に近侍した）とともに江戸を出発した。この時の紀行文「癸巳《きし》日光紀行」（『羅山林先生詩集』巻六）には、「余已《すで》に老いぬ、再来期すべからず」とある。これが最後の日光詣でだという彼の感慨は、実際、その通りになった。九月二日に東照宮に参拝を済ませ、帰途、足利の鑁《ばん》阿寺《なじ》や足利学校に寄っている。

朝鮮通信使

明暦元年（一六五五）、七十三歳の時には、朝鮮通信使が訪れた。羅山は、その生涯で、六度（最初の三回は、回答兼刷還使）も通信使と関わりを持っている。慶長十二年の時は、筆談しただけだったが、元和三年には、「朝鮮信使来貢の記」を著した。寛永元年には、質問したり、詩の唱和をしたりしている。同十三年の時には、強硬な質問をして、朝鮮側を閉口させたことは先に述べた通りである。同二十年にも、詩の唱和を行うなどしている。

日光東照宮

そして、明暦元年の時は、年齢のせいもあって、ごく淡々と交流をこなしているように見える。

十月十日には、家綱の前で三男鵞峰とともに朝鮮の国書を読み、同月十二日には、朝鮮通信使の趙翠屏・兪秋潭・南壺谷・李石湖に対して詩を贈った。同月下旬にも、詩の唱和を行っている。また、同月、家綱に代わって「朝鮮国王に復す」を起草した。また、井伊直孝・保科正之・酒井忠勝・酒井忠清・松平信綱・阿部忠秋に代わり「朝鮮国礼曹に答ふ」を著してもいる。さらに十一月に入ると、再び兪秋潭・南壺谷らと詩の贈答を行っている。

また、この年に小川宗五の求めに応じて著した「五花堂記」（『羅山林先生文集』巻十七）が通信使の人々に賞讃されたと、「羅山先生年譜」などに記されている。きわめて友好的なうちに応接を終えたと言えよう。

なお、この「五花堂記」については、上田秋成『胆大小心録《たんだいしょうしんろく》』（文化五年〈一八〇八〉成立）に次のような言及が見られる。

五花堂とは、昔五花堂宗悟と云ひし人、京師よりこゝにうつりきて、一地を買ひてひらき、梅・桜・牡丹・菊・水仙の五品をうへて愛せしとぞ。五花堂とは名づけしよし也。林羅山先生、又弘文院春斎先生等の文をおくられし有り。朝鮮人の文もありし。

文中の「こゝ」とは、大阪北区の堂島。大坂の地誌『摂陽群談』（元禄十四年〈一七〇一〉刊）巻五に「五花堂と称する亭、此島にあり。因つて堂島と号する歟」とある。「宗悟」は、小川宗五。「弘文院春斎先生」は、鵞峰。ただし、『鵞峰全集』には、この文は載せられていない。「朝鮮人の文もありし」とは、『羅山林先生文集』巻十七所収の「五花堂記」の末に、趙翠屏・俞秋潭・南壺谷が羅山の文を見て、それぞれ記を著して宗五に贈ったとあることによる。以上のことからは、上田秋成も羅山の文集を読んで、なんらかの感慨を催していたことがわかるのである。

明暦元年十二月二十八日には、「文筆の事奉はるによて」幕府から時服三を下賜された、と『徳川実紀』にある。「時服」とは、将軍から季節に応じて賜る衣服のこと。

「文筆の事」とは、たとえば外交文書を作成し、武家諸法度を起草し、また将軍や諸大名に依頼されて啓蒙的な書物を著述したことを言うのであろうか。短期的な成果への褒賞なのか、それとも長きにわたって貢献したことへのそれなのかは、もう一つ判然としない。

それにしても、外交文書や武家諸法度の根幹をなす重要な内容の決定に、彼は全く関わらなかったのだろうか。たんに「文筆」に関与しただけだったのだろうか。家光の御伽衆としてそれなりに重んじられていたことを考え併せると、政策に関与した可能性も少しはあったのではないかということをどうしても夢想してしまう。

しかしいずれにしても、羅山は本が大好きな大秀才であり、その点で「文筆の事」という評価が彼にとって最高の称賛となっているとは言えるだろう。

2 死の前後

妻の死

明暦二年三月二日、七十四歳の時には、先に述べたように、十五歳年下の妻の亀が没する。妻の死は羅山にとって痛手だったに違いない。この時にひどく落胆したことが、翌年没してしまう大きな一因であったと思う。『羅山林先生詩集』巻四十二に載る詩に次のようなものがある。

桃花を見て嘆き有り

涙似河源不可窮　涙は河源の窮《きは》むべからざるに似たり
孤鶯失友泣東風　孤鶯　友を失ひて東風に泣く
白頭同穴別離苦　白頭同穴　別離の苦
欲逐桃花落井中　桃花を逐《お》ひて井中に落ちんと欲す

妻が死んで私の涙は川の源の水が尽きないのと同様に止むことがない。孤独になった鶯は友を失った悲しみによって、春風に吹かれながら泣いている。ともに白髪になるまで夫婦仲良く暮らしてきて、今別れてしまうことが苦しくて仕方ない。桃の花びらが井戸の中に落ちていくのを追いかけて、自分もそこに飛び込んで死んでしまいたいくらいである。

「孤鶯」は羅山、「桃花」は亀の比喩。「同穴」は『詩経』にあることばで、生きている間はともに老い、死ねば同じ墓に入るところから、夫婦の愛情が深いことを言う。

『羅山林先生詩集』巻四十二に載る「宜人《ぎじん》荒川氏哀詩」によれば、亀はいまだに仏教信仰を捨てていなかったものの、病床で二人の息子に向かって、「葬礼の方式はお前たちの考えに任せます。仏式に従って火葬しなくてもよい。ただ、質素になさい」と言い残したという。そこで、儒教の法式に則って葬儀を行ったというのである。

亀としては、先祖代々信仰してきた仏教を捨てることは容易ではなかったのだろう。それほど、仏教は日本人の心に浸透していたのであり、また幼少からの信仰は捨てがたかったのである。しかし、儒学者の妻として、夫の信奉している宗教に対して、人生の最後は敬意を払ったのだった。

二十一史に挑む

妻を亡くしたその年、羅山は最後の力をふりしぼるかのように、二十一史を読み始める。「羅山先生年譜」には次のように羅山が言ったとある。

吾、少壮より既に歴代の始末を知りて数千万巻を広覧す。唯《た》だ二十一史全部は頭より尾に至るまで未だ朱露を滴《したた》るに遑《いとま》あらず。今、暮齢《ぼれい》既に迫ると雖も、猶《な》ほ一周覧の志有り。若し幸ひに三年の命を保たば、則ち以て素志《そし》を遂《と》ぐべしと。（原漢文）

自分はこれまでさまざまな歴史書を繙いてきたけれども、二十一史を最初から最後まで読み通したことはなかった。今、人生の最晩年に到って、なんとかそれをやり遂げてみたい。もしあと三年の命があったなら、きっとこのことは可能だと思う、というのである。

ただ、二十一史と言えば、膨大な量に及ぶ。ちなみにその内訳を記すと、

史記・漢書・後漢書・三国志・晋書・宋書・南斉書・梁書・陳書・魏書・北斉書・周書・隋書・南

史・北史・新唐書・新五代史・宋史・遼史・金史・元史となる。

それを三年あれば読めるだろうと考えて、かつ実行に移すところが、羅山がたくさんの仕事をこなせた秘鍵であると思う。

没してしまう直前の、明暦の大火の時、つまりこのことを計画した翌年の正月、火災から逃れようとした羅山の手には、『梁書《りょうしょ》』が握られていた。二十一史のうちの八番目の書である。一年で三分の一までいっていたことになる。もっとも、『史記』『漢書』『後漢書』は何度も読んでいるため、ざっと読んだだけで、『三国志』から丁寧に朱点を加えていった（「羅山先生年譜」）ようなので、一年目は楽だったのかもしれない。しかし、羅山の実行力からすれば、あと数年生きていれば、本当に二十一史を読み切ったであろう。

死

明暦三年、七十五歳になった元旦には、登城して家綱に拝謁した。そうして、同月十七日、家綱の紅葉山東照宮参詣に供奉したが、帰宅後、気分が悪くなってしまう（「羅山先生年譜」）。その翌日の十八日に起こったのが、いわゆる明暦の大火である。北西の風が吹く中、本郷の本妙寺が焼け、湯島や神田明神まで火は及んだ。駿河台の武家屋敷も焼けてしまった。夕方には西風に変わり、今度は八丁堀から向島・深川まで火の手が及ぶ。翌日は、小石川の鷹匠《たかじょう》町から出火、駒込からさらに江戸城北の丸の大名屋敷へ延焼し、本丸・二の丸・天主閣さえ燃え尽くした。このため、将軍家綱は西の丸へと避難せざるをえなかった。晩には麹町《こうじ》から燃えて、赤坂や桜田門まで及び、ほぼ江戸全体が被害に遭ったと言ってよいだろう。

以下、「年譜」に載る内容を簡単に紹介する。

この大火災のため、神田にあった羅山の本宅も燃え、銅文庫も焼失、蔵書をすべて失ってしまった。鵞峰の所蔵本も焼けてしまう。ただ、読耕斎の文庫は無事だったのである。

十九日には、上野忍岡の別邸へ避難することになった。駕籠の中で、羅山が携えていたのは、『梁書』のみ。一時たりとも読書を止めることはなかった。この『梁書』も、半分くらいまで読み進めていたものなのである。羅山は、「銅文庫は将軍から賜ったものなので、丈夫にできている。火災からは免かれたはずだ」と思った。上野別邸に着いて、そのことを問うたところ、後から来た者が「すっかり焼けてしまいました」と報告した。羅山は、がっかりして、「ああ、これも運命だな」と言い、一晩中嘆いてため息をつき、気分が塞いで、翌日の二十日には病臥してしまった。

ちょうど、火災のため、官医（幕府お抱えの医師）たちは居所が知れない。たまたま、知っている医者が近所にいたので、これを呼んで、薬を処方させた。

二十二日には、鵞峰を遣して、西の丸に避難していた家綱の様子を訊ねさせた。その夕方からは痰がからみ、また苦しそうに息をするようになった。

二十三日には、官医が派遣されることになったが、それが到着する前に、羅山は没してしまったのである。

蔵書がすべて焼失したことを知って、ひどく気落ちし、そのまま病臥して亡くなる。あまりにも有名なこの逸話は、たしかに羅山の学問好きをよく象徴していよう。

以上のことは、鵞峰の著した、国立公文書館内閣文庫蔵『後喪日録《こうそうにちろく》』によって、さらに詳しくわかる。二十三日の分のみ紹介しておこう。

前夜も官医人見玄竹の子道貞・元格や近所に住んでいた医師徳生庵らが泊まってくれたとあるから、事態は深刻だと判断されていたのである。

黎明、書を門生伯元に遣して西丸に登らしめ、家君の疾病《しっぺい》を執政《しっせい》に告げ、医を招かしむ。又、状を若狭羽林に呈し、之を白《まう》す。源吏部《りほう》、其の私医をして病を視《み》せしむ。巳午の間、痰喘《たんせん》益《ますます》急。余・春徳及び諸孫等、左右に侍り、歎息呑声。時に門生以仙来り訊《たづ》ぬ。午後、伯元西の丸より来《きた》り、執政官医道安に遣すの書を持つ。時安(引用者注・「道安」のことか)、亦た、災に逢ひて紀陽君赤坂邸に在る。路程二里余、即ち人を馳せ執政の書を持たしめ之を呼べども未だ到らずして、家君息絶ゆ。春秋七十五。満家哭慟《こくどう》、嗚呼命《ああめい》かな、哀しきかな痛きかな、惜しいかな。時に満城下の工商、皆逃亡し、葬儀甚だ弁《わきま》へ備へ難し。(原漢文)

まず人名やことばを注記しておく。「伯元」は、坂井伯元。「倭漢十題雑詠」にも参加した、羅山の門人である。

「若狭羽林」は、酒井忠勝。家光時代に大老をつとめ、家光没後、家綱を補佐した。学問好きで、羅山とも交流があった。『神道伝授』も忠勝の依頼によって羅山が著したものである。

「源吏部」は、榊原忠次《ただつぐ》。この時は、姫路藩主。和歌をよくし、羅山と親交を結んだ。

「痰喘益急」のうち、「喘」は、苦しそうにはあはあと息をすること。要するに、呼吸器系に激しい異常が見られたのであろう。

「春徳」は、四男読耕斎。「執政」は、老中のこと。

門人の坂井伯元を西の丸に遣し、羅山の病状を老中に報告させ、医師を派遣してもらうよう依頼した。酒井忠勝にも報告した。榊原忠次は、自分が召し抱えていた医師を派遣してくれた。「巳午の間」（午前十一時頃）になると、呼吸がますます困難になる。羅山の子や孫は見守って、嘆き悲しみ、泣き声が出そうになるのをこらえていた。門人の以仙もやって来る。午後には、坂井伯元が西の丸から戻ってきて、老中が官医の道安に遣した書状を携えていた。しかし、道安は火災のため紀伊公の赤坂の屋敷にいたのである。上野の別邸まで約二里、結局官医は間に合わず、羅山は死んでしまった。享年七十五歳であった。家中慟哭し、天命であると歎じ、悲痛の思いでいっぱいであった。この時、江戸中の職人や商人たちが火災によって避難していたため、葬儀を整えるのに大変苦労した。

なお、三木栄氏は、『後喪日録』の二十日から二十三日までの記事を検討した上で、直接の死因を急性大葉性肺炎と推定している。

ただ、遠因としては、高齢であることに加えて、妻の死や蔵書焼失による精神的衝撃、火災のための避難による身体的疲労などが考えられよう。

その六日後の正月二十九日、羅山は別邸敷地内に儒礼をもって葬られた。さらに、元禄十一年（一六九八）には、牛込へ移転改葬されている。

読耕斎の「羅山林先生行状」には、「性、酒を飲まず、放飯流歠《はうはんりうせつ》せず。起居の候、寒暖の節、保養謹《つつし》めり。故に偶《たまたま》微疾《びしつ》に値《あ》ひても増重に至らざる者、時に之有り」とあり、よく摂生したことが七十五という長寿を保った秘訣であったろう。

鵞峰の詩　以上で、羅山の人生のおおよそを記述することができた。なお、羅山没後に鵞峰が父母を思って詠じた詩を一首掲げておくことにしよう。

重陽《ちょうやう》の懐旧

憶昔年年重九節　憶《おも》ふ昔　年年　重九《ちょうきう》の節
菊盃先献考妣寿　菊盃　先づ考妣《かうひ》の寿を献ず
夙興過庭賀良辰　夙《つと》に興《お》き　庭を過ぎて　良辰を賀し
登営拝趨叙前後　営に登り　拝趨《はいすう》して　前後を叙《つい》づ
慈顔倚門待帰来　慈顔　門に倚《よ》りて　帰り来るを待つ
有酒有肴相勧侑　酒有り　肴有り　相　勧侑《くわんいう》す
列座児孫団欒頭　列座の児孫　団欒頭《だんらんとう》し

二男漸長二女幼
盤中餻与盃中花
彼此膝上次第授
今日考妣既登天
唯有秋香満衣袖
空向東籬滴涙痕
連日風雨菊亦痩
盍為先人制頽齢
呼称延年却紕繆
泣採一枝更何為
茅沙露湿祠堂右
斯時斯景古今同
無奈人事不依旧

二男は漸く長じ　二女は幼し
盤中の餻《かう》と盃中の花と
彼此《ひし》　膝上　次第に授く
今日　考妣　既に天に登り
唯だ秋香の衣袖《いしう》に満つる有るのみ
空しく東籬《とうり》に向かつて　涙痕《るいこん》を滴《したた》らせば
連日の風雨に　菊も亦た痩す
盍《なん》ぞ先人の為に　頽齢《たいれい》を制せざる
延年と呼びて称す　却て紕繆《ひびう》なり
泣きて一枝を採るも　更に何をか為す
茅沙《ばうさ》　露　湿《うるほ》ふ　祠堂《しだう》の右
斯《こ》の時　斯の景　古今同じ
奈《いか》んともすること無し　人事の旧に依《よ》らざるを

（『鵞峰林学士詩集』巻三十八）

「重陽」は、九月九日の菊の節句。菊には長寿を保障する力がある。それを踏まえて、鵞峰は父母がすでにこの世にいないことを嘆いている。

「彼此　膝上　次第に授く」という十句目までは、思い出の中の風景。六句目までは、江戸城から戻って来た自分を暖かく迎えてくれる重陽の日の父母の姿、七句目以降は父母の孫、つまり鷲峰の子どもに、父母が餅や花を与えてくれる一家団欒の様子を表現している。徳田武氏の訳を参考に意味を取ってみると、以下のようになろう。

昔のことを思い出すと、毎年、重陽の節供には、長寿を祈って、まず一番に菊花酒の盃を父母に勧めたものである。朝早く起きて庭を通り過ぎて、父母に今日が重陽の節供であることを祝ってから、江戸城に登り、席の前後を決めてから、将軍に拝礼する。父と母は、慈愛に満ちた表情で、私の帰宅を門に寄り掛かりながら待っていて下さり、酒や料理を用意しておいて、お勧めになる。子どもたちが並んで丸く座り、息子二人は少しずつ成長し、娘二人はまだ幼い。皿の中の餅や、盃の中の花をというふうに、あれやこれやを膝の上で順々に与えて下さったのである。

「門に倚り」は、門に寄り掛かりながらと一応訳したが、実際にそうしたというわけではなく、子どもが帰るのを待ちわびる親の切なる思いを表す「倚門《いもん》の望《ぼう》」という表現に拠っている。

では、現在の悲しみに焦点が移る「今日　考妣　既に天に登り」以降を訳してみる。

今では父母とも、もう天に昇っていらっしゃり、ただ菊の香りが衣服の袖いっぱいにしみているのみである。空しくも東側の垣根に対して涙を流していると、毎日続く風雨によって菊の花もまたしぼんでしまっている。どうして父母が老い衰えていくのを押しとどめてくれなかったのか。菊の花は寿命を延ばしてくれると称されるのは、誤りである。私は泣きながら、その一枝を採ってみたが、その上なにかできるというわけではない。父母の霊を祀った堂のある砂地では、茅が露に濡れている。重陽の日のこのような光景は昔も今も変わりないのに、どうしようもない、人間だけが昔と変わってしまったのは。

「空しく東籬に向かって」は言うまでもなく、陶淵明の「菊を采《と》る東籬の下／悠然として南山を見る」（「飲酒」）に拠っている。

父母が亡くなってしまったことへの悲しみを表明し、長寿を保障してくれるはずの菊への恨み言を述べ、再び悲しみに暮れる。とりわけ「盍ぞ先人の為に　頽齢を制せざる／延年と呼びて称す　却て紕繆なり」は哀切きわまりない。

羅山が七十五歳で没した時、鵞峰は四十歳。そのあと、彼は六十三歳まで生き永らえて、林家の伝統をより強固なものにしていった。

終章　羅山の望みは叶ったのか

出世への欲望と知識への欲望

羅山という一人の人間が内部で抱えた葛藤としては、出世への欲望と知識への欲望の対立ということがあったと思う。

出世への欲望とは、林家の再興を果たし、儒学を官学としての権威にまで高めようとすること。権力への歩み寄りにも通じるものだった。

そのことは、家康に取り入り、幕府御用達の儒学者になったことに顕著だと言えるだろう。

ただし、『論語』子罕《しかん》篇にも、門人の子貢が孔子を美しい玉に喩え、仕官する気持ちがあるかどうかを尋ねたところ、孔子は「これを沽《う》らんかな。これを沽らんかな。我は賈《こ》（引用者注・よい買い手）を待つ者なり」と答えたとあり、儒教でもそういった政治との関わりが否定されていたわけではなかった。そして、上昇志向自体は人間の能力を向上させる一つの契機であり、いたずらに嫌悪されるものとは言えない。

また、前田勉氏が指摘していることだが、彼には権力に阿ることへのためらいもあり、幕府内で疎外感を抱くこともあった。

ただ、湯武放伐論を家康に語ったり、方広寺鐘銘事件で判断を示す際に、儒学者としての立場を越えて徳川幕府が有利なように導いたことや、剃髪や民部卿法印という儒学者と相容れない行為や地位を受け入れたりしたことは、出世への欲望が負の形を取って表れた例と言えるだろう。

一方、知識への欲望とは、数多くの書物を読み解き、知識を蓄え、それを秩序だて、そして公開しようとすること。学問的な情熱と言い換えてもよい。『論語』学而篇の「学びて時にこれを習ふ、亦た説《よろこ》ばしからずや」の実践である。ここに羅山の純粋さがある。彼の業績を通覧していくと、好きでないとここまではできないだろうという気がしてくる。

羅山はじつに驚異的な読書量をこなし、多数の著述を世に送り出した。また、青年期に朱子学に惹かれたのも、打算に拠るものとは思われない。『論語集注』の公開講義も、目立つことで仕官の可能性を広げようという目論見もあったのだろうが、若さゆえの客気が勝っていたと思う。ハビアンとの排耶蘇論争や松永貞徳との儒仏論争も同様である。

また、儒学者としての枠組みを越えて文芸性が横溢していることも、知識欲の一つの表れと見てよい。

一人の人間の中に、分裂する複数のものが入っているのは、むしろ当然だという気がする。それほど人間というのは単純ではないからだ。つまり、純粋に学問を愛している部分と、世俗的に上昇したいと考えている部分の両方が独自に働いたり、相補的に補い合いながら、彼の人生を進展させていったのである。

ただ、一人の人間の内部に存在している以上、それらはどこかで交わってもいるはずである。その交錯する部分は、

・出世するために、自分の学問を利用する。

・書物を読んだり、文章を書く生活を続けるために、社会的な地位を確保しておきたい。

という、やはり二つの要素から成り立っているだろう。当然のことながら、前者では出世欲が重く、後者では知識欲が重い。後者については、当時書物は貴重なもので、権力に近いところにいることで読みやすくなるという事情があったことも考慮しておく必要がある。また、儒学は価値の高いものなのだから、世の中に広めたいという欲望は、出世欲のみとも知識欲のみとも言えない。

家の問題や個人の名誉欲もあったろうけれども、それを乗り越えて羅山には、大きな世界と関わりたいという願望があったと思う。冒頭で述べたように、「今生きている混沌とした世界に対峙して、そこにあるすべてのものに触れて、自分なりに再構成したいという願望」が彼の中にはあった。そして、ひるむことなく世界の広がりと交わろうとする時、自己の立場に妥協的なものが入ってくること

を拒まなかったとも言えるだろう。それを潔癖さが足りないと批判するか、それとも懐が深いと評価するかは、論じる立場によって異なると思う。

外部への影響の問題

もう一つの問題として、羅山個人の人生から出たものではあっても、そこから溢れ出る、いわば外部への影響の問題について取り上げたい。

それは彼が江戸時代的思考の枠組みを形成するのに大きく参与したという点である。総合性・実証性・啓蒙性といった、その内実はのちのちまでこの時代の人々の思考の根底を支えるものとなったのである。

これは、羅山一人の功績とは言い難いところもあるが、時代全体としてそのような方向性が目指される中で、彼が先頭を切って走っていたという言い方ならばそれほど的外れではないだろう。また、彼の著した書物が右のような特質を備えていたため、きわめて有益で、後代に到って多々利用されたことも、ここで特筆大書すべきであろう。

さらに系図や歴史書の制作によって、日本人の歴史認識が少しずつ醸成されていく過程に大きく貢献したことも銘記しておくべきである。

全体として、知の体系に寄り添いつつ、自らもそれを実用化させる新たな体系を構築していったことが彼のすぐれた業績と言えるだろう。それと、先に述べた世界の大きな広がりと交わろうとしたこととは、言うまでもなく連動する。

知識への欲望が枯渇せず七十年余持続し、人生の外部へと開かれた思想的枠組みの影響が多大であったという点で、世界を全体として摑もうとする林羅山の願いは相当に叶えられたと言うべきである。限られた時間しか一人の人間に与えられていない中で、この上、なにを望むことがあろうか。

参考文献

林羅山の主要な著作についての本文・注釈

『林羅山文集』『林羅山詩集』平安考古学会、一九二〇～二一年。弘文社、一九三〇年。ぺりかん社、一九七九年。

『日本思想大系28　藤原惺窩　林羅山』岩波書店、一九七五年。
＊『羅山林先生詩文集』は、国立公文書館内閣文庫蔵の寛文二年刊を使用した。

林羅山の伝記として特に参考にしたもの

堀　勇雄『林羅山』吉川弘文館人物叢書、一九六四年。
宇野茂彦『林羅山　附林鵞峰』明徳出版社、一九九二年。

その他の参考文献

浅野三平『近世国学論攷』翰林書房、一九九九年。
荒野泰典編『日本の時代史14　江戸幕府と東アジア』吉川弘文館、二〇〇三年。
池澤一郎『雅俗往還』若草書房、二〇一二年。
池田知久『道家思想の新研究――『荘子』を中心として』汲古書院、二〇〇九年。
石井正己『『遠野物語』を読み解く』平凡社新書、二〇〇九年。

板坂耀子『江戸の紀行文』中公新書、二〇一一年。

市古夏生『近世初期文学と出版文化』若草書房、一九九八年。

市古夏生「近世前期文学における『棠陰比事』の受容」『二〇〇二日本研究国際会議論文集』二〇〇二年十二月。

井手勝美「ハビアンと『妙貞問答』」『季刊日本思想史』一九七八年一月。『キリシタン思想史研究序説』ぺりかん社刊にも所収。

伊東貴之「朱子学と陽明学」『日本思想史ハンドブック』新書館、二〇〇八年。

井上泰至・田中康二編『江戸の文学史と思想史』ぺりかん社、二〇一一年。

揖斐　高『近世文学の境界　個我と表現の変容』岩波書店、二〇〇九年。

揖斐　高「林鳳岡論」『文学』二〇一一年五月。

今井　淳他編『日本思想論争史』ぺりかん社、一九七九年。

今中寛司『近世日本政治思想の成立——惺窩学と羅山学』創文社、一九七二年。

上野益三『日本博物学史』平凡社、一九七三年。

宇賀田為吉『煙草文献総覧　和書之部（前篇）』たばこ総合研究センター、一九七七年。

内山知也・本田哲夫編『湯島聖堂と江戸時代』斯文会、一九九〇年。

江連　隆『論語と孔子の事典』大修館書店、一九九六年。

江藤　淳「僧形の儒者」『近代以前』文藝春秋、一九八五年。

王　家驊『東アジアのなかの日本歴史5　日中儒学の比較』六興出版、一九八八年。

大久保順子「『和漢軍譚』と『和漢軍談』」『福岡女子大学文学部紀要　文藝と思想』二〇〇六年二月。

大桑　斉・前田一郎『羅山・貞徳『儒仏問答』註解と研究』ぺりかん社、二〇〇六年。

大島　晃「林羅山の「文」の意識—其之一—「読書」と「文」」『漢文学解釈与研究』一九九八年十一月。

大島晃「林羅山の「文」の意識（其之一）文評――「左氏不及檀弓」の論」『漢文学解釈与研究』二〇〇〇年十二月。

大島晃「林羅山の「書、心画也」の論――林羅山の「文」の意識（其之二）」『漢文学解釈与研究』二〇〇一年十二月。

大島晃「林羅山の『性理字義諺解』――その述作の方法と姿勢」『漢文学解釈与研究』二〇〇二年十二月。

大島晃「林羅山の『大学諺解』について――その述作の方法と姿勢」『漢文学解釈与研究』二〇〇四年十二月。

大島晃「林羅山長子　林叔勝」『漢文学解釈与研究』二〇〇五年十二月。

大島晃「『性理字義』の訓点を通して見たる羅山・丈山の読解力」『漢文学解釈与研究』二〇〇六年十二月。

大島晃他「羅山随筆抄訓釈稿（一）～（四）」『漢文学解釈与研究』二〇〇六年十二月～二〇一一年九月。

太田青丘『藤原惺窩』吉川弘文館人物叢書、一九八五年。

大野出『日本の近世と老荘思想――林羅山の思想をめぐって』ぺりかん社、一九九七年。

ヘルマン・オームス『徳川イデオロギー』ぺりかん社、一九九〇年。

小川武彦・石島勇『石川丈山年譜』青裳堂書店、一九九四年。

小沢栄一『近世史学思想史研究』吉川弘文館、一九七四年。

小高敏郎『松永貞徳の研究』至文堂、一九五三年、（新訂版、臨川書店、一九八八年）。

小高敏郎『近世初期文壇の研究』明治書院、一九六四年。

笠谷和比古『戦争の日本史17　関ヶ原合戦と大坂の陣』吉川弘文館、二〇〇七年。

勝又基「江戸の百科事典を読む――『訓蒙図彙』の変遷」『しにか』二〇〇〇年三月。

門脇むつみ「詩仙図について」『文学』二〇一〇年五月。

兼岡理恵『風土記受容史研究』笠間書院、二〇〇八年。

神谷勝広『近世文学と和製類書』若草書房、一九九九年。

川勝守「『華夷変態』下の東アジアと日本」『日本の近世6 情報と交通』中央公論社、一九九二年。

川瀬一馬『日本書誌学之研究』講談社、一九四三年。

川瀬一馬『古活字版の研究』安田文庫、一九三七年、Antiquarian Booksellers Association of Japan, 1967.

川平敏文「徒然草をめぐる儒仏論争」『雅俗』二〇〇一年一月。

川平敏文「慶長文壇と徒然草」『熊本県立大学国文研究』二〇〇二年三月。

川平敏文「和学史上の林羅山――『野槌』論」『文学』二〇一〇年五月。

ドナルド・キーン『百代の過客 下』朝日選書、一九八四年。

岸 得蔵『仮名草子と西鶴』成文堂、一九七四年。

黒住 真『近世日本社会と儒教』ぺりかん社、二〇〇三年。

桑田忠親『大名と御伽衆』青磁社、一九四二年。増補新版、有精堂出版、一九六九年。

国立公文書館『内閣文庫所蔵資料 林羅山展』一九八三年。

後藤丹治「雨月物語と本朝神社考との関係」『立命館文学』一九四八年三月。

齋藤文俊『漢文訓読と近代日本語の形成』勉誠出版、二〇一一年。

佐久間正『徳川日本の思想形成と儒教』ぺりかん社、二〇〇七年。

佐藤弘夫編集代表『概説日本思想史』ミネルヴァ書房、二〇〇五年。

島内裕子『徒然草文化圏の生成と展開』笠間書院、二〇〇九年。

末木文美士『近世の仏教 華ひらく思想と文化』吉川弘文館、二〇一〇年。

菅野禮行・徳田武『新編日本古典文学全集86 日本漢詩集』小学館、二〇〇二年。

杉下元明『江戸漢詩 影響と変容の系譜』ぺりかん社、二〇〇四年。

杉原たく哉「狩野山雪筆歴聖大儒像について」『美術史研究』一九九三年十二月。

杉本つとむ『日本語講座2　方言はどう探究されたか』桜楓社、一九八一年。

鈴木暎一『徳川光圀』吉川弘文館人物叢書、二〇〇六年。

鈴木晋一『たべもの東海道』小学館、二〇〇〇年。

須藤敏夫「江戸幕府釈奠の成立」『國學院雑誌』一九六六年十月。

住吉朋彦「不二和尚岐陽方秀の学績」『書陵部紀要』一九九六年三月。

千田　稔『地球儀の社会史』ナカニシヤ出版、二〇〇五年。

高埜利彦『日本の歴史⑬　元禄・享保の時代』集英社、一九九二年。

高橋睦郎『漢詩百首』中公新書、二〇〇七年。

武内義雄『武内義雄全集』第六巻、角川書店、一九七八年。

棚次正和他編『宗教学入門』ミネルヴァ書房、二〇〇五年。

玉懸博之『日本近世思想史研究』ぺりかん社、二〇〇八年。

筑波大学・斯文会『草創期の湯島聖堂　よみがえる江戸の『学習』空間』清流出版社、二〇〇七年。

辻善之助『日本仏教史　近世篇之二』岩波書店、一九五三年。

仲尾　宏『朝鮮通信使をよみなおす——「鎖国」史観を越えて』明石書店、二〇〇六年。

長尾直茂「林羅山の『老子鬳斎口義』校訂及び施注について」『漢文学解釈与研究』二〇〇一年十二月。

中川博夫「『鎌倉将軍家譜』翻印」『銀杏鳥歌』一九九〇年六月〜九三年十二月。

中田祝夫・小林祥次郎『多識編自筆稿本刊本三種研究並びに総合索引』勉誠社、一九七七年。

中村幸彦『日本古典文学大系56　上田秋成集』岩波書店、一九五九年。

中村幸彦『中村幸彦著述集』中央公論社、一九八二〜八九年。

根崎光男『将軍の鷹狩り』同成社、一九九九年。

野口武彦『江戸の歴史家』筑摩書房、一九七九年。

野口武彦『江戸の兵学思想』中央公論社、一九九一年。

野口武彦『江戸思想史の地形』ぺりかん社、一九九三年。

芳賀幸四郎『中世禅林の学問および文学に関する研究』日本学術振興会、一九五六年。

長谷川泰志「羅山と『豊臣秀吉譜』の編纂」『文教國文學』一九九八年三月。

服部幸雄『歌舞伎成立の研究』風間書房、一九六八年。

尾藤正英『日本封建思想史研究』青木書店、一九六一年。

日野龍夫『日野龍夫著作集第一巻　江戸の儒学』ぺりかん社、二〇〇五年。

広田二郎『芭蕉の芸術』有精堂、一九六八年。

深沢眞二『「和漢」の世界　和漢聯句の基礎的研究』清文堂出版、二〇一〇年。

冨士昭雄『西鶴と仮名草子』笠間書院、二〇一一年。

藤井譲治『日本の歴史⑫　江戸開幕』集英社、一九九二年。

藤實久美子「『本朝通鑑』編修と史料収集――対朝廷・武家の場合」『史料館研究紀要』一九九九年三月。

堀川貴司『書誌学入門』勉誠出版、二〇一〇年。

本間洋一「夭折の文人――林梅洞覚書」『北陸古典研究』二〇〇七年十一月。

前田　勉『近世日本の儒学と兵学』ぺりかん社、一九九六年。

前田　勉『兵学と朱子学・蘭学・国学』平凡社選書、二〇〇六年。

前田　勉『江戸後期の思想空間』ぺりかん社、二〇〇九年。

松下　忠『江戸時代の詩風詩論』明治書院、一九六九年。

松島　仁『徳川将軍権力と狩野派絵画――徳川王権の樹立と王朝絵画の創生』ブリュッケ、二〇一一年。

丸山真男『日本政治思想史研究』東京大学出版会、一九五二年。

三木　栄「林羅山の死因」『文献』一九六五年三月。

水本邦彦『全集日本の歴史　第十巻　徳川の国家デザイン』小学館、二〇〇八年。

溝口雄三「中国思想の受容について――林羅山を一例に」『日本の美学』一九八六年十一月。

溝口雄三他『中国思想史』東京大学出版会、二〇〇七年。

溝口雄三『中国思想のエッセンスⅠ　異と同のあいだ』岩波書店、二〇一一年。

三谷　博『明治維新とナショナリズム』山川出版社、一九九七年。

源　了圓『近世初期実学思想の研究』創文社、一九八〇年。

源　了圓編『江戸の儒学――『大学』受容の歴史』思文閣出版、一九八八年。

源　了圓・嚴　紹璗編『日中文化交流史叢書第三巻　思想』大修館書店、一九九五年。

源　了圓・楊　曾文編『日中文化交流史叢書第四巻　宗教』大修館書店、一九九六年。

宮崎修多「国風・詠物・狂詩」『語文研究』一九八三年十二月。

宮崎修多「古文辞流行前における林家の故事題詠について」『近世文藝』一九九五年一月。

村上雅孝『近世初期漢字文化の世界』明治書院、一九九八年。

百瀬　宏「駿河版銅活字――その歴史的・技術的由来の探索」『歴史の文字――記載・活字・活版』東京大学総合研究博物館、一九九六年。

森潤三郎『紅葉山文庫と書物奉行』昭和書房、一九三三年。

森　瑞枝「林羅山『本朝神社考』における『元亨釈書』の利用状況」『神道研究集録』一九九二年五月。

八木清治「経験的実学の展開」『日本の近世』第十三巻、中央公論社、一九九三年。

矢崎浩之「林羅山研究史小論」『神仏習合思想の研究』汲古書院、一九九六年。

柳田征司「林羅山の仮名交り注釈書について——抄物との関連から」『築島裕博士還暦記念　国語学論集』明治書院、一九八六年。

山岸徳平『日本古典文学大系89　五山文学集　江戸漢詩集』岩波書店、一九六六年。

山岸徳平『近世漢文学史』汲古書院、一九八七年。

山本博文『寛永時代』吉川弘文館、一九九六年。

湯浅邦弘編『概説中国思想史』ミネルヴァ書房、二〇一〇年。

横田冬彦『日本の歴史16　天下泰平』講談社、二〇〇二年。講談社学術文庫にも所収。

歴史教育研究会・歴史教科書研究会編『日韓交流の歴史』明石書店、二〇〇七年。

和島芳男『日本宋学史の研究』吉川弘文館、一九八八年。

渡辺　浩『近世日本社会と宋学』東京大学出版会、一九八五年。

渡辺守邦「巵言抄解題——大妻女子大学蔵元和古活版を中心に」『大妻国文』一九八五年三月。

渡辺守邦『仮名草子の基底』勉誠社、一九八六年。

渡辺守邦「『東海道名所記』」『解釈と鑑賞』一九九〇年三月。

和辻哲郎『日本倫理思想史』岩波書店、一九五二年、引用は、『和辻哲郎全集』版に拠った。

羅山に関する鈴木の著作（一部、本書にも取り込んだ。）

『林羅山年譜稿』ぺりかん社、一九九九年。

「林羅山と武家の関係について」『解釈』一九八六年三月。

「林羅山と近世初期名所記の関係について」『汲古』一九八六年六月。

参考文献

「『詩仙』『武仙』『儒仙』」『書誌学月報』一九八六年四月。

「『丙辰紀行』」『古典の事典』第七巻、河出書房新社、一九八六年。

「林羅山の漢詩文一面」『解釈と鑑賞』一九九二年三月、『江戸詩歌の空間』森話社刊にも所収。

「林羅山の画賛」『和漢比較文学』一九九五年七月、『江戸詩歌の空間』森話社刊にも所収。

「儒教と題画文学」『解釈と鑑賞』一九九八年八月。

「漢学と漢詩文」『近世の日本文学』放送大学教育振興会、一九九八年。

「林羅山の文学活動」『解釈と鑑賞』二〇〇八年十月、『江戸古典学の論』汲古書院刊にも所収。

「後水尾院と林羅山――江戸詩歌史の始発」『国語と国文学』二〇一一年九月。

あとがき

一冊で一人の人物の伝記を記述することに挑んだのは初めてだったのと、自分が五十歳を越えたこともあって、この本を書きながら、人の一生についてつくづく考えさせられた。人は、なんのために生まれてくるのか。なぜ生かされて今ここにあるのか。そういう根本的な、答えようのない問題意識を強く意識せざるをえなかったのである。

林羅山という人物は、儒学者としても中途半端で出世主義者だと見られがちである。けれども、本書においては、とてつもない量の読書をこなす勉強好きで、物事を整理し秩序立て、人々を啓蒙する能力に長じ、家と個人、権力機構と遊芸志向の間にあって、彼なりの葛藤を抱えつつ、与えられた時間を精一杯生き抜いた人物だというふうに、その人生を肯定的に描いてみた。

そのような視点によって、羅山の人生をながめわたした結果、一日ごとにその人なりの努力によって物事を推し進めていく営みの積み重ねが人生の価値なのだという、ごく当たり前の事実を改めて強く心に刻み込むことになった。その点で、この本を書いてよかったと思う。

ただ、政治史、思想史の側からの切り込みが甘いということは否めない。その点忸怩たる思いがあるが、自分の能力としてはとりあえずすべてを出したと思う。もちろん、これからも新しい展望や資料に基づいて、羅山について知見を得られるよう努力したい。

日本評伝選の著者の一人として、私をご推薦下さった兵藤裕己氏にはこの場を借りてお礼申し上げたい。

また、略年譜作成に際してご尽力賜った田中仁氏にも感謝申し上げる。

ミネルヴァ書房編集部の堀川健太郎氏には、万般ご高配を賜った。心より感謝の意を申し述べたい。

二〇一二年八月

鈴木健一

林羅山略年譜

（　）内の数字は享年。

和暦	西暦	齢	関係事項	一般事項
天正一一	一五八三	1	**8月**京都四条新町に誕生する。幼名、菊松麻呂。父は林信時（林入）。母、田中氏。すぐに信時兄吉勝（理斎）の養子になる。	
一三	一五八五	3	同母弟信澄（永喜）誕生する。	
一四	一五八六	4	**8・23**実母田中氏没。	秀吉、豊臣姓を賜って太政大臣となる。
一八	一五九〇	8	通用の俗字を知り、甲州の徳本という浪人が家に来て『太平記』を読むのを、傍らで聞き暗誦する。	
文禄三	一五九四	12	国字に通じ、演史小説を読み、漢籍も窺い見る。	
四	一五九五	13	元服して又三郎信勝と称する。建仁寺大統庵に入り、古澗慈稽に学ぶ。	
慶長二	一五九七	15	**夏**京都奉行前田玄以が建仁寺の要請により松田政行を遣し、羅山の剃髪出家を養父吉勝と実父信時に対して説得させた。羅山はひそかに建仁寺を出て家に	秀吉、二度目の朝鮮出兵。（慶長の役）

三	一五九八	16	戻る。	8・18豊臣秀吉没（六十三歳）。
四	一五九九	17	学問の基本は経学であるとの考えを抱く。	
五	一六〇〇	18	学業が大いに進み、『四書集注』など朱子の章句・集注を読み、朱子学に開眼する。	9・15関ヶ原の合戦。
六	一六〇一	19	8・29養母小篠氏没（五十五歳）。	
七	一六〇二	20	秋長崎に遊ぶ。	9・16英甫永雄没（六十七歳）。
八	一六〇三	21	『論語集注』を公開講義する。	2・12徳川家康、征夷大将軍となる。
九	一六〇四	22	閏8・24吉田玄之の紹介で、賀古宗隆の邸において藤原惺窩と初めて会う。この年四百四十余部の「既読書目」を記す。	
一〇	一六〇五	23	4・12二条城において初めて徳川家康に拝謁する。	
一一	一六〇六	24	6・15イエズス会派宣教師ハビアンと会見する。8月紀伊に赴く惺窩から『延平答問』を授かる。	
一二	一六〇七	25	3・1京都出発。4・17徳川秀忠に拝謁し『六韜』『三略』『漢書』を進講する。閏4・17駿府において朝鮮通信使（回答兼刷還使）と筆談する。冬長崎に旅行し、『本草綱目』を購入し、家康に進献する。この年家康の命により剃髪、名を道春と改める。駿	

			府と京都に宅地と土木料を賜る。	
一三	一六〇八	26	この年駿河文庫の管理を任される。年俸三百俵を賜る。	
一四	一六〇九	27	夏荒川宗意の娘亀と結婚する。	
一五	一六一〇	28	9・5家康から『群書治要』の書写を命ぜられ、以心崇伝とともに掌る。12・16本多正純に代わり「遺大明国」を、長谷川藤広に代わり「遺福建道陳子貞」を起草する。	8・20細川幽斎没（七十七歳）。
一六	一六一一	29	4・12家康の命により法令三ケ条を起草する。この年京都周辺に采地三百十石余を賜る。	4・12後水尾天皇即位。
一七	一六一二	30	3・11、6・25家康の湯武放伐等についての質問に答える。この年『多識編』成る。	
一九	一六一四	32	8・18方広寺鐘銘についての五山僧たちの答案を天海・崇伝とともに家康の前で読み上げる。本多正純邸にて天海・崇伝とともに文英清韓を糺問する。この年後藤光次と協力して京都に学校を設立する許可を家康から得たが、大坂の陣のため実現しなかった。	6・28清原秀賢没（四十歳）。7・12角倉了以没（六十一歳）。
元和元	一六一五	33	正・29養父吉勝没（七十二歳）。3・21家康から以心崇伝とともに『大蔵一覧』を開板するよう命ぜられる。8・5〜7水口において家康に『論語』学而	4・6大坂夏の陣。

			篇を進講する。	
二	一六一六	34	正・19家康から以心崇伝とともに『群書治要』を開板するよう命ぜられる。4・11駿河文庫の書籍処分について家康の命を受ける。10月下旬駿府にて駿河文庫の書籍を、江戸・尾張・紀伊・水戸に四分割する。11月江戸出発、京都着。『丙辰紀行』の旅。	4・17徳川家康没（七十五歳）。
三	一六一七	35	夏『二荒山神伝』を著す。	
四	一六一八	36	5・29三男春勝（春斎・鵞峰）、京都にて誕生。この年江戸にて宅地を神田鷹匠町に賜る。	
五	一六一九	37	春惺窩から「夕顔巷の詞」と和歌を贈られ、顔巷・瓢庵を別号とする。	9・12藤原惺窩没（五十九歳）。
六	一六二〇	38	7・21黒田長政の求めに応じて『巵言抄』を著す。11・21次男長吉没（五歳）。	
七	一六二一	39	3・13板倉重宗邸にて明国使節単鳳翔・沈茂人・陳元贇らと会う。4・17京都出発。摂州・紀州を周遊する。有馬温泉にも赴く。9・1後水尾天皇より板倉重宗を通じて『皇宋事宝類苑』が届けられる。勅命により加点。秋『野槌』成立。	
八	一六二二	40	4月家康七回忌のため秀忠に従い日光に赴く。	
九	一六二三	41		7・27家光、征夷大将軍に補せ

寛永元	一六二四	42	正・16叔勝らとともに八瀬の采地に遊ぶ。4・13から毎日家光に陪侍する。5・3異母弟甚性没（二十二歳）。11・21四男守勝誕生。12月朝鮮通信使（回答兼刷還使）副使姜弘重に質問、李誠国と詩を唱和。	られる。
二	一六二五	43	2月川越・鴻巣にて狩猟する家光に扈従する。11月末から12月牟礼野にて狩猟する家光に扈従する。	
三	一六二六	44	2月川越・鴻巣への家光の鷹狩に扈従する。5月家光の命により『孫子諺解』を著す。6月『三略諺解』を著し家光に進献する。この頃『大学倭字抄』『四書五経要語抄』を著し家光に進献する。7・12上洛する家光に随行する。8・1入洛。三歳になった四男守勝と初対面する。	9・6後水尾天皇、二条城に行幸。
五	一六二八	46	2月家光の川越鷹狩に扈従。4・13家康十三回忌のため日光山に参詣する家光に扈従。10月叔勝を江戸に呼ぶ。	
六	一六二九	47	6・16実父信時没（八十三歳）。6・19長男叔勝没（十七歳）。12・30民部卿法印となる。	紫衣事件。
七	一六三〇	48	正・1初めて元旦に将軍に拝賀。6・7長女振娘誕生。9・12明正天皇即位式を拝観する。年末上野忍	

			岡の土地と学校建設の資金を賜る。	
九	一六三二	50	12・23三百俵加恩。冬徳川義直の寄進により上野忍岡の賜地に先聖殿を建設する。	正・24徳川秀忠没（五十四歳）。
一〇	一六三三	51	2・10先聖殿にて初めて釈菜を行う。7・17先聖殿に参詣した家光に『尚書』を進講する。12・5家光の養女大姫の婚礼に際し、『姫君婚礼記』を著す。	正・20以心崇伝没（六十五歳）。9・5古澗慈稽没（九十七歳）。
一一	一六三四	52	6・20家光に扈従し上洛。10・3妻子や永喜とともに京都出発。江戸に移居。	
一二	一六三五	53	正月家光の命によって編集した『倭漢法制』を進献する。6・21諸大名の前で、羅山・永喜が起草した武家諸法度を読む。	
一三	一六三六	54	正月『伊勢内外宮勘文』を撰進する。2月家光の命により『荒政恤民録』を撰す。4・13日光へ赴く家光に従い江戸を出発する。『東照大権現新廟斎会記』を著す。12・27朝鮮国王李倧（仁祖）宛家光書翰を著す。12月朝鮮通信使に質問した。	
一四	一六三七	55	4・17家光の命により「城内神廟霊鶴記」を撰進する。	10・25島原の乱。
一五	一六三八	56	8・19弟永喜没（五十四歳）。10・29品川・牛込薬園開設。和漢両種の勘文を撰進する。この年から正	

			保二年までの間『本朝神社考』成立、刊行。	
一六	一六三九	57	7月『無極太極倭字抄』撰進。	
一七	一六四〇	58	4月家光に従い江戸出発。日光へ向かう。家康二十五回忌のため『東照大権現二十五年御忌記』を著す。	
一八	一六四一	59	2・7幕府の系図編集（のち『寛永諸家系図伝』）を命ぜられる。8月～翌年2月『鎌倉将軍家譜』『京都将軍家譜』『織田信長譜』『豊臣秀吉譜』を撰進する。	
一九	一六四二	60	9・22浅草文殊院において「倭漢十題雑詠」詩あり。この年石川丈山と詩仙堂に掲げる詩仙の選定についてのやりとりがある。	11・20堀杏庵没（五十八歳）。
二〇	一六四三	61	6・15山王祭を見る。詩あり。8・3家光に代わって「復朝鮮国王」を起草する。8・11鵞峰の長男春信（梅洞）誕生。9月後光明天皇即位のため上洛する酒井忠勝・松平信綱に従い江戸を出発する。『癸未紀行』成立。9・25『寛永諸家系図伝』完成、太田資宗が家光に進覧。寛永末家光御不例の慰めのため『仙鬼狐談』『恠談』を著す。	10・1天海没（一〇八歳）。
正保元	一六四四	62	春国史（のち『本朝編年録』）編修の命を受ける。10・14『本朝編年録』神武紀から持統紀までと『本	

				朝王代系図』を献上。12・14鵞峰の次男春常（鳳岡）誕生。12・16改元の会議に出席。12・17幼君竹千代の諱を家綱と撰進する。	
	二	一六四五	63	4・23徳川家綱元服。6月中旬『御元服記』を著す。	12・11沢庵没（七十三歳）。
	三	一六四六	64	秋前年から続く体調不良がようやく快復。	
	四	一六四七	65	春新宅に移居した鵞峰に和漢書一千余部を、読耕斎に副本七百余部を授与。	
慶安	元	一六四八	66	4・13家光に扈従して日光へ赴く。『東照宮三十三回御忌記』撰進。	正・3那波活所没（五十四歳）。
	二	一六四九	67	2月釈菜再興。	
	三	一六五〇	68		5・7徳川義直没（五十一歳）。6・15木下長嘯子没（八十一歳）。
	四	一六五一	69	この年『大学倭字抄』『貞観政要諺解』を家綱に撰進。12・15武州赤木・袋・柿沼村を采地として賜る。	4・20徳川家光没（四十八歳）。由井正雪の乱。8・18徳川家綱、征夷大将軍となる。
承応	元	一六五二	70	9月改元について預り議す。	
	二	一六五三	71	8・29読耕斎・人見友元とともに江戸出発。日光参拝の帰途足利学校・鑁阿寺に寄る。	11・15松永貞徳没（八十三歳）。
	三	一六五四	72	この年嫡孫春信（梅洞）に五経句読を口授。4・7	

明暦 元	一六五五	73	読耕斎の長男勝澄が誕生する。4・29読耕斎の妻吉娘が没したため、遺児（二女一男）を引き取り養育。春家綱の命により鵞峰・読耕斎とともに『三十六名臣図』『百人一詩』を撰進する。夏家綱から銅瓦の書庫を賜り、神田の家塾に移建した。10月家綱に代わって「復朝鮮国王」を起草する。12・28文筆の功により時服三を下賜される。	
二	一六五六	74	3・2妻亀没（五十九歳）。12・12家綱に『大学』の首章を進講する。	12・1板倉重宗没（七十一歳）。
三	一六五七	75	正・19明暦の大火にて神田の本宅の銅文庫焼失。上野の別邸へ避難。正・20病臥。正・23没。正・29上野忍岡の敷地に儒礼をもって葬られる。元禄一一年牛込へ移転改葬。	

＊堀勇雄『林羅山』、鈴木健一『林羅山年譜稿』を参考にした。

（作成・田中仁）

主要人名索引

あ　行

か　行

さ　行

た　行

主要書名索引

あ行

か行

さ行

た　行

わ　行

《著者紹介》

鈴木健一（すずき・けんいち）

1960年　生まれ。

東京大学大学院人文科学研究科博士課程単位取得退学。博士（文学）。

現　在　学習院大学文学部教授。

専攻は，日本古典文学（特に江戸時代の文学）。

江戸時代初期の雅文壇，特に和歌の後水尾天皇と漢学の林羅山についての研究が中心で，詩歌全般や古典享受についての研究もある。

著　書　『近世堂上歌壇の研究』汲古書院，1996年。

『林羅山年譜稿』ぺりかん社，1999年。

『江戸詩歌史の構想』岩波書店，2004年。

『江戸古典学の論』汲古書院，2011年。

『天皇と芸能』（共著）講談社，2011年など。

ミネルヴァ日本評伝選

林《はやし》　羅《ら》　山《ざん》

——書を読みて未だ倦まず——

2012年11月10日　初版第１刷発行　〈検印省略〉

定価はカバーに表示しています

著　者	鈴　木　健　一
発行者	杉　田　啓　三
印刷者	江　戸　宏　介

発行所　株式会社　ミネルヴァ書房

607-8494　京都市山科区日ノ岡堤谷町１

電話代表（075）581-5191

振替口座　01020-0-8076

共同印刷工業・新生製本

ISBN978-4-623-06480-9

Printed in Japan

刊行のことば

歴史を動かすものは人間であり、興趣に富んだ人間の動きを通じて、世の移り変わりを考えるのは、歴史に接する醍醐味である。

しかし過去の歴史学を顧みるとき、人間不在という批判さえ見られたように、歴史における人間のすがたが、必ずしも十分に描かれてきたとはいえない。二十一世紀を迎えた今、歴史の中の人物像を蘇生させようとの要請はいよいよ強く、またそのための条件もしだいに熟してきている。

この「ミネルヴァ日本評伝選」は、正確な史実に基づいて書かれるのはいうまでもないが、単に経歴の羅列にとどまらず、歴史を動かしてきたすぐれた個性をいきいきとよみがえらせたいと考える。そのためには、対象とした人物とじっくりと対話し、ときにはきびしく対決していくことも必要になるだろう。

今日の歴史学が直面している困難の一つに、研究の過度の細分化、瑣末化が挙げられる。それは緻密さを求めるが故に陥った弊害といえるが、その結果として、歴史の大きな見通しが失われ、歴史学を通しての社会への働きかけの途が閉ざされ、人々の歴史への関心を弱める危険性がある。今こそ歴史が何のためにあるのかという、基本的な課題に応える必要があろう。評伝という興味ある方法を通じて、解決の手がかりを見出せないだろうかというのも、この企画の一つのねらいである。

狭義の歴史学の研究者だけでなく、多くの分野ですぐれた業績をあげている著者たちを迎えて、従来見られなかった規模の大きな人物史の叢書として、「ミネルヴァ日本評伝選」の刊行を開始したい。

平成十五年（二〇〇三）九月

ミネルヴァ書房

ミネルヴァ日本評伝選

企画推薦
梅原　猛
ドナルド・キーン
佐伯彰一
角田文衞

監修委員
上横手雅敬
芳賀　徹

編集委員
石川九楊
伊藤之雄
猪木武徳
今谷　明
今橋映子
熊倉功夫
佐伯順子
坂本多加雄
武田佐知子
竹西寛子
西口順子
兵藤裕己
御厨　貴

上代

*俾弥呼　古田武彦
日本武尊　西宮秀紀
仁徳天皇　若井敏明
雄略天皇　吉村武彦
*蘇我氏四代　遠山美都男
推古天皇　義江明子
聖徳太子　仁藤敦史
斉明天皇　武田佐知子
小野妹子・毛人　大橋信弥
*額田王　梶川信行
弘文天皇　遠山美都男
天武天皇　新川登亀男
持統天皇　丸山裕美子
阿倍比羅夫　熊田亮介
柿本人麻呂　古橋信孝
*元明天皇・元正天皇　渡部育子
聖武天皇　本郷真紹
光明皇后　寺崎保広
孝謙天皇　勝浦令子
藤原不比等　荒木敏夫
吉備真備　今津勝紀
*藤原仲麻呂　木本好信
道　鏡　吉川真司
大伴家持　和田　萃
行　基　吉田靖雄

平安

*桓武天皇　井上満郎
嵯峨天皇　西別府元日
宇多天皇　古藤真平
醍醐天皇　石上英一
村上天皇　京樂真帆子
花山天皇　上島　享
*三条天皇　倉本一宏
藤原薬子　中野渡俊治
小野小町　錦　仁
藤原良房・基経　瀧浪貞子
菅原道真　竹居明男
*紀貫之　神田龍身
源高明　所　功
*安倍晴明　斎藤英喜
藤原実資　橋本義則
*藤原道長　朧谷　寿
藤原伊周・隆家　倉本一宏
藤原定子　山本淳子
清少納言　後藤祥子
紫式部　竹西寛子
和泉式部　ツベタナ・クリステワ
大江匡房　小峯和明
阿弖流為　樋口知志
坂上田村麻呂　熊谷公男
*源満仲・頼光　元木泰雄
平将門　西山良平
藤原純友　寺内　浩
空　海　頼富本宏
最　澄　吉田一彦
*空　也　石井義長
奝　然　上川通夫
*源　信　小原　仁
後白河天皇　美川　圭
式子内親王　奥野陽子
建礼門院　生形貴重
藤原秀衡　入間田宣夫
平時子・時忠　元木泰雄
平維盛　根井　浄
守覚法親王　阿部泰郎
藤原隆信・信実　山本陽子

鎌倉

源頼朝　川合　康
*源義経　近藤好和
源実朝　神田龍身
後鳥羽天皇　五味文彦
九条兼実　村井康彦
九条道家　上横手雅敬
北条時政　野口　実
熊谷直実　佐伯真一
*北条政子　関　幸彦
北条義時　岡田清一
曾我十郎・五郎　杉橋隆夫
北条時宗　近藤成一
安達泰盛　山陰加春夫
平頼綱　細川重男
竹崎季長　堀本一繁
西　行　光田和伸
藤原定家　赤瀬信吾
*京極為兼　今谷　明
*兼　好　島内裕子
重　源　横内裕人
*運　慶　根立研介
快　慶　井上一稔

法然　今堀太逸
慈円　大隅和雄
明恵　西山　厚
親鸞　末木文美士
恵信尼・覚信尼　西口順子
覚如　今井雅晴
道元　船岡　誠
叡尊　細川涼一
*忍性　松尾剛次
*日蓮　佐藤弘夫
一遍　蒲池勢至
夢窓疎石　田中博美
*宗峰妙超　竹貫元勝

南北朝・室町

後醍醐天皇　上横手雅敬
護良親王　新井孝重
*赤松氏五代　渡邊大門
*北畠親房　岡野友彦
楠正成　兵藤裕己
*新田義貞　山本隆志
光厳天皇　深津睦夫
足利尊氏　市沢　哲
佐々木道誉　下坂　守
円観・文観　田中貴子
足利義詮　早島大祐
足利義満　川嶋將生
足利義持　吉田賢司
足利義教　横井　清
大内義弘　平瀬直樹
伏見宮貞成親王　松薗　斉
山名宗全　山本隆志
日野富子　脇田晴子
世阿弥　西野春雄
雪舟等楊　河合正朝
宗祇　鶴崎裕雄
*満済　森　茂暁
一休宗純　原田正俊
蓮如　岡村喜史

戦国・織豊

北条早雲　家永遵嗣
毛利元就　岸田裕之
毛利輝元　光成準治
*今川義元　小和田哲男
*武田信玄　笹本正治
*武田勝頼　笹本正治
*真田氏三代　笹本正治
三好長慶　天野忠幸
*宇喜多直家・秀家　渡邊大門
*上杉謙信　矢田俊文
島津義久・義弘　福島金治
吉田兼倶　西山　克
山科言継　松薗　斉
*雪村周継　赤澤英二
織田信長　三鬼清一郎
豊臣秀吉　藤井讓治
*北政所おね　田端泰子
*淀殿　福田千鶴
前田利家　東四柳史明
*黒田如水　小和田哲男
蒲生氏郷　藤田達生
*細川ガラシャ　田端泰子
伊達政宗　伊藤喜良
*支倉常長　田中英道
ルイス・フロイス　エンゲルベルト・ヨリッセン
*長谷川等伯　宮島新一
顕如　神田千里

江戸

徳川家康　笠谷和比古
徳川家光　野村　玄
徳川吉宗　横田冬彦
*後水尾天皇　久保貴子
光格天皇　藤田　覚
崇伝　杣田善雄
春日局　福田千鶴
*池田光政　倉地克直
シャクシャイン　岩崎奈緒子
*田沼意次　藤田　覚
*二宮尊徳　小林惟司
末次平蔵　岡美穂子
*高田屋嘉兵衛　生田美智子
*林羅山　鈴木健一
吉野太夫　渡辺憲司
中江藤樹　辻本雅史
山崎闇斎　澤井啓一
山鹿素行　前田　勉
*北村季吟　島内景二
貝原益軒　辻本雅史
松尾芭蕉　楠元六男
*ケンペル　B・M・ボダルト＝ベイリー
荻生徂徠　柴田　純
*雨森芳洲　上田正昭
石田梅岩　高野秀晴
前野良沢　松田　清
平賀源内　石上　敏
本居宣長　田尻祐一郎
杉田玄白　吉田　忠
上田秋成　佐藤深雪
木村蒹葭堂　有坂道子
*大田南畝　沓掛良彦
菅江真澄　赤坂憲雄
*鶴屋南北　諏訪春雄
良寛　阿部龍一
*山東京伝　佐藤至子
*滝沢馬琴　高田　衛
平田篤胤　山下久夫
シーボルト　宮坂正英
本阿弥光悦　岡　佳子
小堀遠州　中村利則
狩野探幽・山雪　山下善也
尾形光琳・乾山　河野元昭
*二代目市川團十郎　田口章子
与謝蕪村　佐々木丞平
伊藤若冲　狩野博幸
鈴木春信　小林　忠
円山応挙　佐々木正子
*佐竹曙山　成瀬不二雄
葛飾北斎　岸　文和
酒井抱一　玉蟲敏子
孝明天皇　青山忠正
*和宮　辻ミチ子
徳川慶喜　大庭邦彦
島津斉彬　原口　泉

*古賀謹一郎　小野寺龍太
*栗本鋤雲　小野寺龍太
*塚本明毅　塚本　学
*月　性　海原　徹
*吉田松陰　海原　徹
*高杉晋作　海原　徹
ペリー　遠藤泰生
オールコック　佐野真由子
アーネスト・サトウ　奈良岡聰智
緒方洪庵　米田該典
冷泉為恭　中部義隆

近代

*明治天皇　伊藤之雄
*大正天皇　F・R・ディキンソン
*昭憲皇太后・貞明皇后　小田部雄次
大久保利通　三谷太一郎
山県有朋　鳥海　靖
木戸孝允　落合弘樹
井上　馨　伊藤之雄
*松方正義　室山義正
北垣国道　小林丈広

板垣退助　小川原正道
長与専斎　笠原英彦
大隈重信　五百旗頭薫
伊藤博文　坂本一登
井上　毅　大石　眞
井上　勝　老川慶喜
*桂　太郎　小林道彦
渡辺洪基　瀧井一博
*乃木希典　佐々木英昭
林　董　君塚直隆
*児玉源太郎　小林道彦
*高宗・閔妃　木村　幹
山本権兵衛　室山義正
高橋是清　鈴木俊夫
小村寿太郎　簑原俊洋
*犬養　毅　小林惟司
加藤高明　櫻井良樹
加藤友三郎・寛治　麻田貞雄
牧野伸顕　小宮一夫
田中義一　黒沢文貴
内田康哉　高橋勝浩
石井菊次郎　廣部　泉
平沼騏一郎　堀田慎一郎
宇垣一成　北岡伸一
宮崎滔天　榎本泰子
*浜口雄幸　川田　稔

幣原喜重郎　西田敏宏
関　一　玉井金五
水野広徳　片山慶隆
広田弘毅　井上寿一
安重根　上垣外憲一
*グルー　廣部　泉
*永田鉄山　森　靖夫
東條英機　牛村　圭
今村　均　前田雅之
蔣介石　劉　岸偉
石原莞爾　山室信一
木戸幸一　波多野澄雄
*岩崎弥太郎　武田晴人
伊藤忠兵衛　末永國紀
五代友厚　田付茉莉子
大倉喜八郎　村上勝彦
*安田善次郎　由井常彦
渋沢栄一　武田晴人
山辺丈夫　宮本又郎
武藤山治　阿部武司・桑原哲也
西原亀三　森川正則
小林一三　橋爪紳也
大倉恒吉　石川健次郎
大原孫三郎　猪木武徳
*河竹黙阿弥　今尾哲也
イザベラ・バード　加納孝代

*林　忠正　木々康子
森　鷗外　小堀桂一郎
二葉亭四迷　ヨコタ村上孝之
夏目漱石　佐々木英昭
巌谷小波　千葉信胤
樋口一葉　佐伯順子
*島崎藤村　十川信介
泉　鏡花　東郷克美
有島武郎　亀井俊介
永井荷風　川本三郎
北原白秋　平石典子
菊池　寛　山本芳明
宮澤賢治　千葉一幹
正岡子規　夏石番矢
高浜虚子　坪内稔典
与謝野晶子　佐伯順子
*種田山頭火　村上　護
*斎藤茂吉　品田悦一
*高村光太郎　湯原かの子
萩原朔太郎　エリス俊子
*原　阿佐緒　秋山佐和子
*狩野芳崖・高橋由一　古田　亮
竹内栖鳳　北澤憲昭
黒田清輝　高階秀爾

中村不折　石川九楊
横山大観　高階秀爾
*橋本関雪　西原大輔
小出楢重　芳賀　徹
土田麦僊　天野一夫
岸田劉生　北澤憲昭
松旭斎天勝　川添　裕
中山みき　鎌田東二
佐田介石　谷川　穣
ニコライ　中村健之介
出口なお・王仁三郎　川村邦光
島地黙雷　阪本是丸
*新島　襄　太田雄三
木下広次　冨岡　勝
嘉納治五郎　クリストファー・スピルマン
津田梅子　田中智子
*澤柳政太郎　新田義之
河口慧海　高山龍三
山室軍平　室田保夫
大谷光瑞　白須淨眞
*久米邦武　髙田誠二
フェノロサ　伊藤　豊
三宅雪嶺　長妻三佐雄
*岡倉天心　木下長宏
志賀重昂　中野目徹
徳富蘇峰　杉原志啓

竹越與三郎 西田 毅
内藤湖南・桑原隲蔵 礪波 護
岩村 透 今橋映子
西田幾多郎 大橋良介
金沢庄三郎 石川遼子
上田 敏 及川 茂
柳田国男 鶴見太郎
厨川白村 張 競
大川周明 山内昌之
西田直二郎 林 淳
折口信夫 斎藤英喜
九鬼周造 粕谷一希
辰野 隆 金沢公子
シュタイン 瀧井一博
*西 周 清水多吉
*福澤諭吉 平山 洋
福地桜痴 山田俊治
田口卯吉 鈴木栄樹
*陸 羯南 松田宏一郎
黒岩涙香 奥 武則
宮武外骨 山口昌男
*吉野作造 田澤晴子
野間清治 佐藤卓己
山川 均 米原 謙
岩波茂雄 十重田裕一
*北 一輝 岡本幸治
中野正剛 吉田則昭

満川亀太郎 福家崇洋
杉 亨二 速水 融
*北里柴三郎 福田眞人
田辺朔郎 秋元せき
*南方熊楠 飯倉照平
寺田寅彦 金森 修
石原 純 金子 務
J・コンドル 鈴木博之
辰野金吾 河上真理・清水重敦
*七代目小川治兵衛 尼崎博正
ブルーノ・タウト 北村昌史

現代

昭和天皇 御厨 貴
高松宮宣仁親王 後藤致人
*李方子 小田部雄次
吉田 茂 中西 寛
マッカーサー 柴山 太
石橋湛山 増田 弘
重光 葵 武田知己
市川房枝 村井良太
*池田勇人 藤井信幸

高野 実 篠田 徹
和田博雄 庄司俊作
朴正煕 木村 幹
竹下 登 真渕 勝
*松永安左エ門 橘川武郎
鮎川義介 井口治夫
*出光佐三 橘川武郎
松下幸之助 米倉誠一郎
渋沢敬三 井上 潤
*本田宗一郎 伊丹敬之
井深 大 武田 徹
*佐治敬三 小玉 武
幸田家の人々 金井景子
*正宗白鳥 大嶋 仁
大佛次郎 福島行一
*川端康成 大久保喬樹
*薩摩治郎八 小林 茂
松本清張 杉原志啓
安部公房 成田龍一
*三島由紀夫 島内景二
R・H・ブライス 菅原克也
金素雲 林 容澤
柳 宗悦 熊倉功夫

バーナード・リーチ 鈴木禎宏
イサム・ノグチ 酒井忠康
川端龍子 岡部昌幸
藤田嗣治 林 洋子
*井上有一 海上雅臣
*手塚治虫 竹内オサム
山田耕筰 後藤暢子
古賀政男 藍川由美
*吉田 正 金子 勇
武満 徹 船山 隆
*力道山 岡村正史
*西田天香 宮田昌明
安倍能成 中根隆行
サンソム夫妻 平川祐弘・牧野陽子
和辻哲郎 小坂国継
矢代幸雄 稲賀繁美
石田幹之助 岡本さえ
*平泉 澄 若井敏明
安岡正篤 片山杜秀
島田謹二 小林信行
前嶋信次 杉田英明
保田與重郎 谷崎昭男
*福田恆存 川久保剛
井筒俊彦 安藤礼二
佐々木惣一 松尾尊兊

*瀧川幸辰 伊藤孝夫
矢内原忠雄 等松春夫
福本和夫 伊藤 晃
*フランク・ロイド・ライト 大久保美春
大宅壮一 有馬 学
今西錦司 山極寿一

*は既刊
二〇一二年一一月現在